内科医が教える
お腹がどんどん痩せていく

腹凹《ペコ》歩き
ダイエット

川村内科診療所所長
川村昌嗣

永岡書店

ワシはありませんか？

体力の衰えを認めたくなく、
激しい運動をしてしまう

食事量を減らしているが、
体重はなかなか減らない

40代、50代のポッコリお腹をへこませるには

努力&我慢しないダイエットが効果的！

中高年世代のダイエットには間違った思い込みや勘違いがいっぱい！
ダイエットに対する〝価値観の転換〟こそが中年太り解消の一番の近道です！

ポッコリお腹が気になるあなた、思いあたる

じゃあどうすればいいの？

自分の体型を直視できず、
体重計に乗るのが怖い…

ご飯をかき込む癖があり、
食べるスピードも速い

好きなメニューを我慢できず、
毎日のように食べてしまう

テキパキと動いているので、
運動不足ではないと思っている

内科医・川村昌嗣先生が考案した中年太り解消ダイエット

ズボラな人ほど成功する Dr.川村式腹やせメソッド

価値観や生活習慣を見つめ直し 我慢しないことが成功の秘訣

川村式腹やせメソッドの基本は、「損をしない」、「努力や我慢をしない」こと。努力して激しい運動をしたり、我慢して食事制限をしても挫折するだけです。「面倒くさい」という気持ちを利用した方法を実践することが成功の近道。だから、ズボラな人に向いているのです！

Dr.川村式腹やせメソッドの考え方

1. 余分な時間を取って運動をしない
2. 「損をするのが嫌」という考えをうまく利用する
3. 「価値観を変えて物事を見る・考える習慣」を身につける
4. 「食べてはいけない」という我慢をしない
5. 「汚いことは嫌だ」という考えをうまく利用する
6. 「嫌いなことはしたくない」という考えをうまく利用する
7. 「面倒くさいことは嫌だ」という考えをうまく利用する

著者自身が実践してダイエットに成功！

幼い頃から運動嫌いで、ダイエットをしてはリバウンドを繰り返し、ピーク時の体重は 76 kg（身長 172 cm）、ウエストは 86 cmに…。「ベルトの上に乗っている脂肪を何とかしてほしい」と、家族に指摘された 48 歳の頃の写真（2008 年 7 月撮影）。

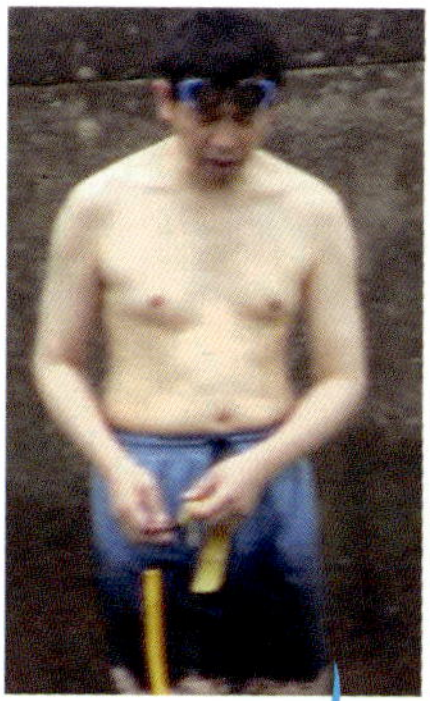

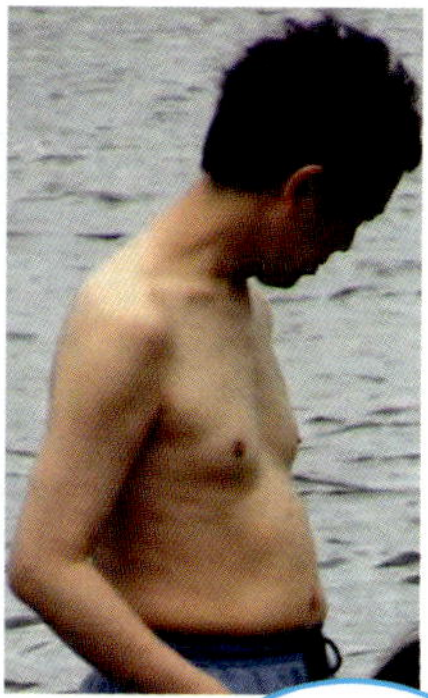

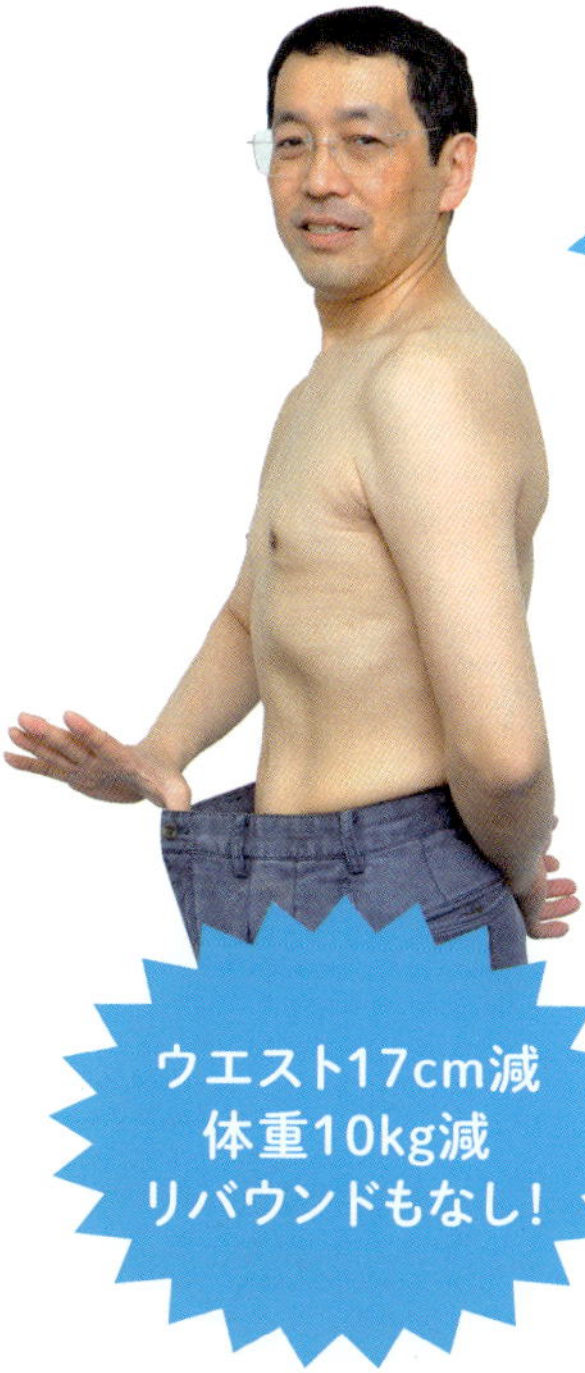

ウエスト17cm減
体重10kg減
リバウンドもなし！

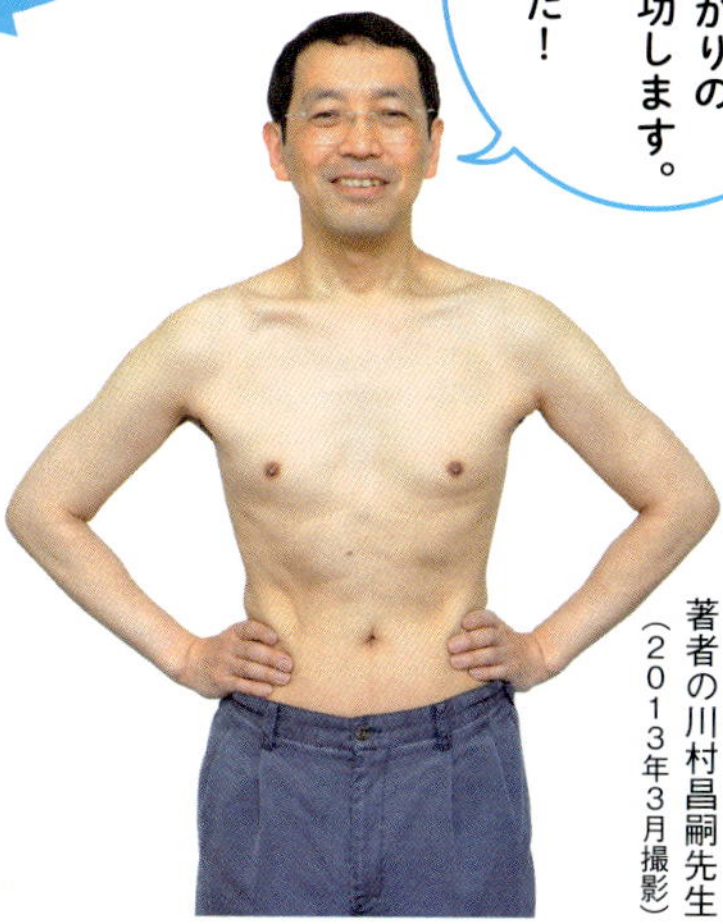

ズボラな人、面倒くさがりの人ほど成功します。実は私もそうでした！

著者の川村昌嗣先生（2013年3月撮影）

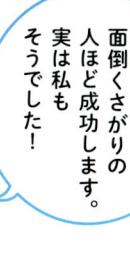

腹やせメソッド
運動編

努力ゼロ！ 歩き方をちょっと変えるだけ「腹凹《はらペコ》歩き」で、お腹の脂肪がみるみる落ちる

時間もお金もかからない。だけど腹やせに抜群の効果！

お腹を出し入れして歩くだけ！
お腹からやせる
腹凹歩き

＋

日常のスキマ時間を有効活用！
引き締めてやせる
エア・トレーニング

「腹凹歩き」は、お腹を出し入れしながら歩くだけでＯＫ！ お腹まわりの脂肪から優先的にやせていく画期的な腹やせ法です。日常生活で歩く際に実践するだけなので努力ゼロ！ 腹凹歩きが身についたら、「エア・トレーニング」を取り入れると腹やせ効果がアップします。

普段歩いているときに
お腹を出し入れするだけで、
腹筋が無理なく強化されて
お腹スッキリ！
ポコッ
ペコッ

Dr.川村's 成功のポイント

歩くだけでお腹がへこむ「やらなきゃ損」と考えよう！

ダイエットのためにわざわざ早起きしてウォーキングしなきゃと思うと、続きません。通勤時間を使って実践して、効果的に腹やせしましょう。

腹やせメソッド
食事編

我慢ゼロ！おいしく食べて、食事量が自然と減っていく
「脳をダマす食べ方」で食べ過ぎ防止

●食べ方＆飲み方の悪癖を見直す
無理な食事制限はダイエット失敗の元凶のひとつ。食べたい気持ちを我慢するのではなく、自分の食べ方の癖を見直し、改善しよう。

●じっくり、味わって食べる
かき込んで噛まずに飲み込んでしまうのではなく、一口の量を少なめにして、じっくり味わって！

●調理＆買い物をひと工夫する
素材の味を引き出す調理で余分なカロリー＆塩分をカット。買い物のひと工夫で買い過ぎを防ぐ！

早食い＆ドカ食いはＮＧ！ゆっくり味わって食べよう

我慢して食事制限をするよりも、早食いやドカ食い等の食べ方の悪癖を見直すことがダイエット成功の近道です。おいしい料理をじっくり味わって食べる「脳をダマす食べ方」を実践すれば、満足感を保ちながら食べ過ぎを防ぐことができます。

はじめに　～著者のダイエット体験～

私は33歳で結婚しました。妻は食が細くやせていたので、もう少し太ってほしいとお願いをしていたのですが、なかなか体重が増えませんでした。そこで、「私が目の前でおいしそうにたくさん食べれば、妻もつられて食べるはず」と思って実践したところ、自分だけが太る結果に…。それから、患者さんに生活指導をする手前、「増えた体重を減らさなければ」と、いろいろなダイエットを行いました。

とにかく運動量を増やそうと、電車を一駅手前で降りて歩いたり、エレベーターを階段に変えたり、腕立て伏せや腹筋運動、竹刀の素振りなどをやってみたりはするのですが、根っからの運動嫌いで続きませんでした。

食事においては、大学病院に勤務している頃は忙しく、空き時間に急いでご飯をかき込むため、早食いが身についてしまいました。「30回噛む」ことも意識しましたが、気づくと口から食べ物が消えています。回数を数えれば30回は噛めますが、数えることに意識が向き、料理の味を楽しめないのですぐやめてしまいました。

このような生活を続けた結果、40代前半に、人生最大の76kg（身長は約172㎝）を記録。お腹の脂肪は急速に増加しました。そして「ベルトの上に乗っている脂肪をどうにかして！」と、妻が時々漏らすようになったのです…。

転機が訪れたのは、当時の勤め先の「けいゆう病院」の市民講座で、医師仲間でタブー視されていた「ダイエット」の講義を受け持ったとき。なぜダイエットがタブー視されていたかというと「昔太っていて、ダイエットに成功した人」の講義でなければ説得力が乏しいし、その上、市民講座で取り上げるには、みんなが無理なく実践でき、リバウンドしない方法でないと満足してもらえないからです。

「運動嫌い」「食べるのが好き」な私にできて、しかもリバウンドしないダイエット法があれば実践してもらえるに違いない…。そこでまず考えたことは、「なぜダイエットで結果が出ないのか、出てもすぐリバウンドするのか」ということ。私の場合、失敗を繰り返したのは「〝頑張って〟運動したこと」「好きな食べ物を〝我慢した〟こと」が原因でした。だとすれば、「頑張らず、我慢せずに生活習慣を変えるにはどうすればいいか」、そう考えるようにしたのです。

私は根っからの面倒くさがり屋で、頑張ること、我慢することが苦手なタイプです。しかし、医師として患者さんを診察し、よくなってもらうために他の医師に相談したり、文献を調べたりしているときなど、「患者さんのため」と思って行動しているときは面倒くさいという気持ちは一切ありませんでした。「やらなければ」ではなく「やってあげたい」という気持ちから発している行為は、苦もなく実行していたのです。おそらく私のダイエットは「わざわざ運動する」「食べたいものを制限する」という〝無理や我慢〟がいけなかったのです。仕事や趣味など、日常的に行っていることや好きなことなら続くのです。そこで、ダイエットに効果的な運動や食事を〝自然な形〟で生活に取り入れる方法を考えるようになりました。

また、昔から大好きで毎日1ℓは飲んでいた炭酸飲料を、最近ではほとんど口にしなくなったことに気づきました。「炭酸飲料を飲む」ことに対する価値観が変わったため、飲めない状況下でもストレスを感じなくなり、今では飲みたいとも思わなくなってしまいました。

人間は「損をすること」を嫌う生き物。したがって、「ある行為をやる（またはやらない）ことで自分は損をする」という価値観を備えられればいいのです。炭酸飲料の例だと、「糖分が多く含まれた炭酸飲料を飲むことで、不健康になり、医療費が余計にかかって損をする」という具合です。適度な運動と食事を、できるだけ自然な形で取り入れ、「やらなきゃ損をする」という価値観を身につける。これができれば、望ましい生活習慣が自然と身につき、ダイエットは成功するはずです。

私は今までの健康診断で、メタボの方や、太ってはいないけれどお腹だけがポッコリ出ている方を中心に指導してきました。1年に1回の健診ですから、効果を確認できるのが1年後になります。うまくいった方は、診察室に入ってくるとき得意げな表情で、「腹囲の数値を見てよ。13㎝も減ったでしょ」とうれしい報告を聞くこともしばしばありました。逆に、申し訳なさそうに、「腹凹歩きをやってみたのですが、続けられませんでした…」と言われる方も少なからずいらっしゃいました。そのつど、どうすればよいかをいろいろと考え、改良したり、工夫したりした方法を本書にはいろいろと盛り込んでいます。

本書で紹介する「腹凹歩き」や「エア・トレーニング」は、運動嫌いで面倒くさがり屋の私が、無理も我慢もせずに取り組めて、ダイエットに成功したメソッドです。ぜひ本書を繰り返し読み、実践し、新たな生活習慣を身につけてください。その先に、理想に近い体型が待っています。

内科医が教える
お腹がどんどん痩せていく
腹凹《ペコ》歩きダイエット

目次

第2章

努力と我慢をしない中高年向けのダイエット Dr.川村式 腹やせメソッドの基礎知識――41

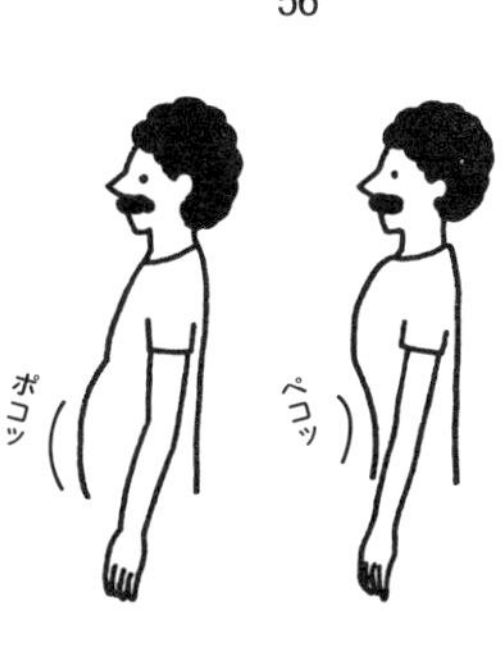

第3章

お腹を出し入れしながら歩くだけ！「腹凹歩き」でポッコリお腹をスッキリ解消！——75

第4章

〝すきま時間〟に行って効率よく筋力アップ！体を引き締める「エア・トレーニング」——99

第5章

食事制限せずに食べ過ぎを防ぐ！自然と少食になる「脳をダマす食べ方」——117

目次

目次

第6章

こんなときはどうすればいいの？

第1章

中高年のダイエットに
効果的なのはどっち?

腹やせの
常識・非常識

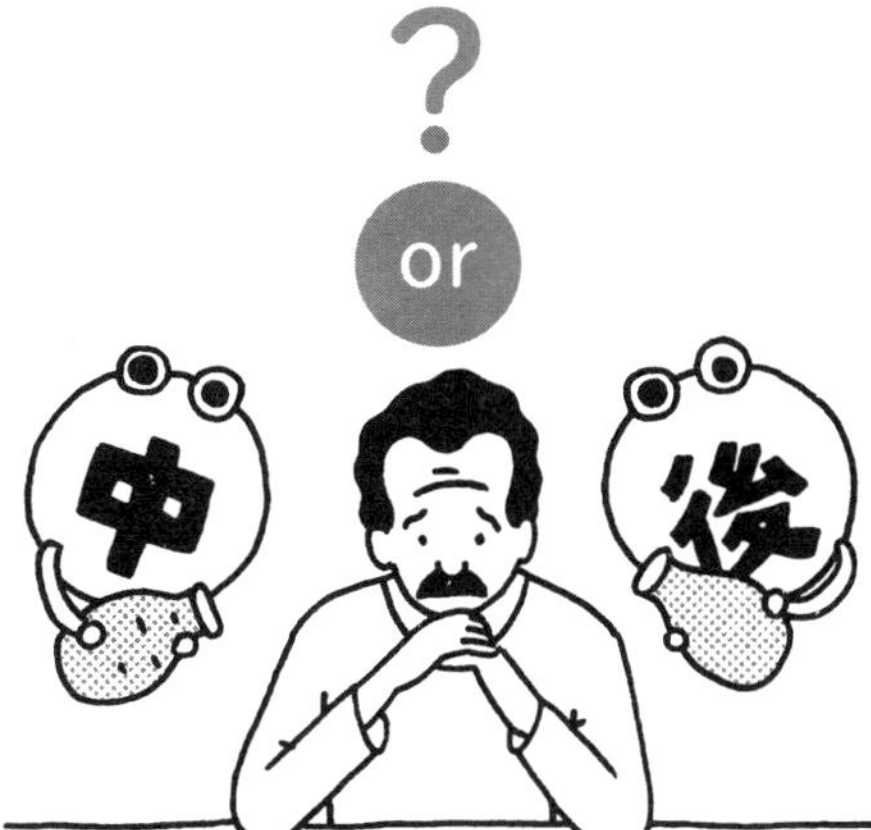

駅の階段、どのように上がっていますか?

ゆっくり一段ずつ上がる

or

一段飛ばしで駆け上がる

正解

意外!? 階段はゆっくり上がるほうがエネルギー消費量が高い！

一段飛ばしは、反動を使って駆け上がるので運動効果は低い

運動によるエネルギー消費量は、「運動時間×強度」で算出されます。階段をゆっくり一段ずつ上がるときの消費エネルギーを「１×１＝１」とすると、一段飛ばしの場合、運動時間は約半分。強度は２倍…と思いきや、反動（勢い）が加わるので１・３倍程度です。つまり「０・５×１・３＝０・65」、階段をゆっくり上がるより消費エネルギーは減ります。また注意したいのは、「一段飛ばし」のように普段使わない筋肉を使うと、〝運動した気になる〟というワナ。この勘違いが中高年の運動不足を招いてしまいます。おすすめは一段飛ばしするつもりで高く足を上げながら、一段ずつゆっくり上がる。運動強度も時間も増加し、よりエネルギーを消費できます。

お酒はいつ飲んでいますか?

お酒は夕食後に飲む

or

お酒は夕食中に飲む

正解

お酒は夕食後に味わって飲むのが、肝臓にやさしい大人の飲み方

食後だと空腹感がないので、暴飲暴食や二日酔いも防げる！

お酒に合う食べ物をつまみにして飲みたい気持ちはわかりますが、お酒を飲むと食欲が増進します。なおかつ酔うと満腹中枢が働きにくくなり、制限なく食べてしまいがち…。また、唐揚げやフライドポテトなど、脂っぽく味が濃いものを欲するため、カロリーオーバーしやすいのです。アルコールには、飲み始めは眠くなる作用がありますが、それを過ぎるとあとは興奮期に突入。食事とお酒をセットにすると、酔っぱらうまで飲み食いし続け、暴飲暴食してしまうケースが多いのです。食後、風呂に入るなどして30分程度経ってから飲み始めれば、空腹感がなく、余計なおつまみを食べる心配がないし、飲み過ぎないので肝臓への負担も抑えられます。

ダイエットでの食事制限は、どっちを我慢しますか?

食べる量を頑張って減らす

or

好きな食べ物を禁止する

正解

無理と我慢はダイエットの大敵！食べ方を見直すことが成功の近道

我慢よりも、おいしく味わって食べることで自然と少食になる

食べる量を少しずつ減らせば体重は減っていくはず。好きな食べ物はつい多く食べてしまうので、好きな食べ物を我慢すればより短期間で効果がでるでしょう。ただし、我慢するとストレスで反動がでやすいのでNGです。我慢せずに食べる量を減らす食べ方の工夫をしましょう。

「このお肉一切れが1万円」なら、どのように食べますか。きっと今まで以上に味わって食べるでしょう。すると、食べ方が自然とゆっくり丁寧になり、腹七分目でも満腹感が得られます。大好物はじっくり味わって食べるとよいでしょう。無理に我慢すると満足感が得られず、ますます〝食欲の暴走〟を加速させることになります。

夕食を食べ過ぎても、翌朝、朝食はとりますか?

お腹が空いて
なくても
朝食をとる

or

朝食は抜いて
お腹が
空くのを待つ

正解 1日3食とるのが基本だが、夕食を食べ過ぎたら朝食を抜いて調節も

ドカ食い癖のある人は、朝・昼・夕の3食をきちんと食べるのがベスト

朝食は全身にエネルギーを行き渡らせて、1日の活力を作るために大切。しかし、前夜の夕食を食べ過ぎて、お腹が空いていないのに無理して朝食をとると、太ります。その場合は朝食を抜いて構いません。ただし、ドカ食い癖のある人は食べ過ぎ防止のために、あらかじめ夕食の一部を朝食に回し、翌朝食べることをおすすめします。というのも朝食を抜くと1日2食となり、昼食時は空腹で飢餓状態に…。そこで食欲に任せて食べると、体はエネルギーを残さず吸収してしまいます。これは、力士が1日2食にするのと同じセオリー。ドカ食いしがちな人は空腹を防ぐために規則正しく3食とったほうが、同じ摂取カロリーでも太りにくくなります。

夕食前に、大好きなお菓子に手が伸びそう…。

別腹として食べてしまう

or

我慢して食べない

正解

間食は別腹化させることなく、「ごはん」に組み込むのがおすすめ

食事の1品として食べることで満足感が得られ、総カロリーを軽減

間食というと、ポテトチップスやチョコレート、ケーキなどが代表的。食べたい気持ちはわかるし、我慢しないのが腹やせメソッドの信条です。でも「別腹《べつばら》」として食べてしまうと、間食分の摂取カロリーが増えるので太ります。そこで、お菓子を食事の1品として食べることをおすすめします。

例えばポテトチップスが好物なら、崩してご飯にふりかけるとちょっと変わった味付けになります。ケーキなどは分割して、食事の最初に1／4、最中に1／4、最後に1／2を食べると、満足感があり、余分な摂取カロリーを増やしてしまう心配がありません。間食は食事に組み込むのがコツです。おかずも1品増えます。

ウォーキングやランニングは、いつ行いますか？

運動するなら食前

or

運動するなら食後

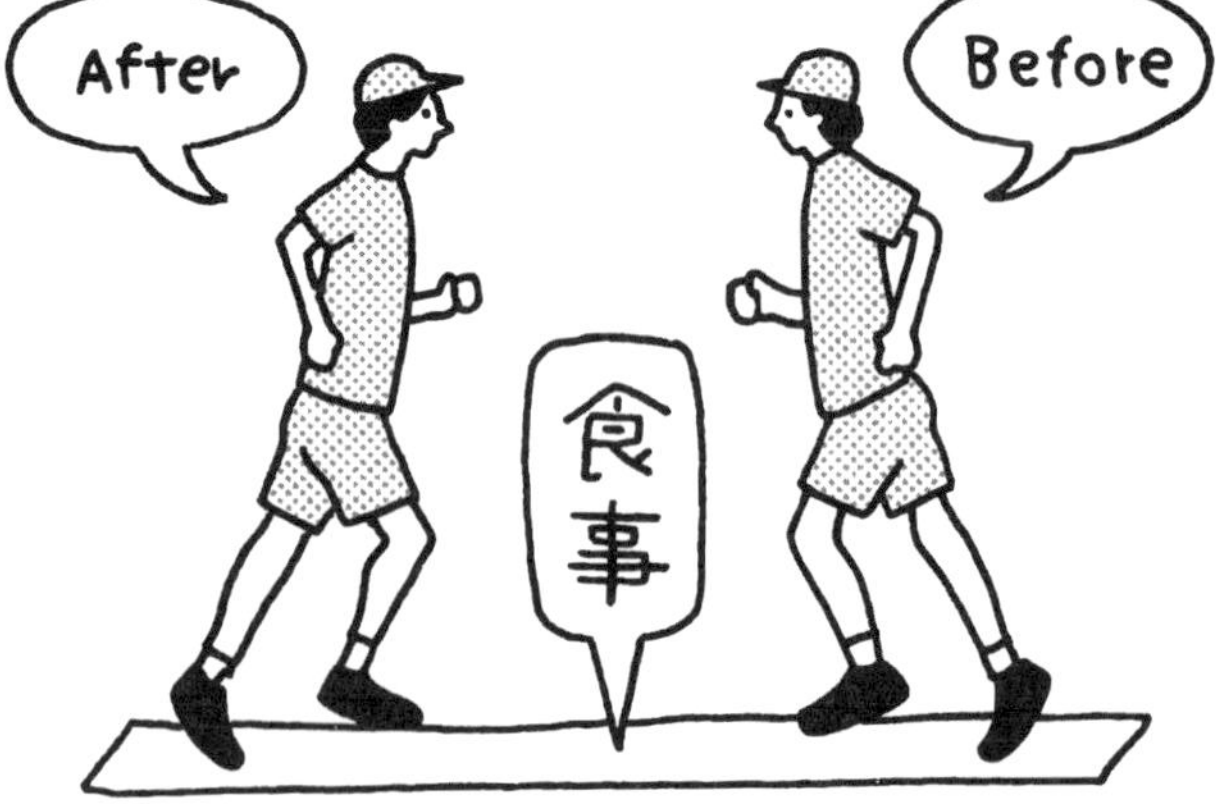

正解

食前の運動は内臓脂肪が燃えやすく、食後は糖質のエネルギーを消費しやすい！

食前の運動は低血糖に注意、食後の運動は1時間経ってからに

例えば食前にウォーキングをすれば、糖質ではなく内臓脂肪がエネルギーとしてよく使われるので、腹やせを実現するには効果的といえます。しかし、空腹時の運動は低血糖になる危険と隣り合わせ。また、運動した安心感からビールの飲み過ぎやドカ食いをしてしまわないよう注意が必要です。一方、食後にウォーキングすれば、食事でとったエネルギーが運動で消費され、脂肪の貯蓄分が減少します。つまり脂肪を減らすというよりは、増やさないために有効なんです。ただし、食べてすぐに歩くと、胃が揺れて気持ち悪くなるので、食後1時間経ってからがおすすめ。胃も落ち着き、血糖値の上昇も抑えられ、効果的にエネルギーを消費できます。

あなたの筋トレ、間違っていませんか？

腕立て伏せは、回数を多く、スピーディーに行う

or

腕立て伏せは、回数は少なめで、ゆっくり行う

正解　体をゆっくり動かしたほうが筋力を使い、エネルギー消費量もアップする

ゆっくり動くと、筋肉の表と裏の両側が効果的に鍛えられる

一般的には速い動作で回数を多く行うほうが効果的と思われているのではないでしょうか。しかし、速く動くと筋力ではなく反動を使うため、エネルギー消費量は意外に増えず、ただ回数をこなした達成感だけで満足しがちです。一方、ゆっくり動くことは、印象に反して大変。反動を使えず、動作のすべてを筋力でまかなうため、エネルギー消費量も増えるのです。しかもゆっくりだと、関節を動かす主働筋《しゅどうきん》（縮んで力を発揮する筋肉）のみならず、拮抗筋《きっこうきん》（主働筋の反対側で緩み、力を発揮しない筋肉）も使われます。つまり、筋肉の表と裏の両側が使われるので体に負荷がかかり、消費カロリーが倍になるのです。

［運動・ダイエット編］

脂肪燃焼効果が高いのは、どちらの歩き方?

腕を大きく振って速く歩く

or

腕を振らずにゆっくり歩く

正解

腕を振らずに歩くほうが筋肉を使い、脂肪も燃えて、体が引き締まる

腕の動きを止めようとする筋肉が使われ、エネルギー消費量もアップ

腕を大きく振る速歩きのほうが、エネルギーを多く消費できるのでしょうか？

実はこれでは勢いだけで歩けてしまうので、脂肪はあまり燃えてくれません。また、勢いよく歩くと、着地する際の衝撃が体重のスピードの２乗（スピードの数値を２回掛け算する）で大きくなり、膝や足首に負担がかかってしまいます。歩くときに腕を振らないよう意識すると、筋力を使います。自然に振られる腕の動きを、止めようとする力が働くためです。だからウォーキングは、腕を振らないほうがエネルギー消費量が増えて効果的。しかも勢いをつけずに歩くことで、着地の衝撃を軽減できるので、体に負担をかけずに長く歩き続けられるメリットも生まれます。

腹筋運動でお腹はへこみましたか?

腹筋のとき膝を曲げる

or

腹筋のとき膝を伸ばす

正解　筋力が弱い人は膝を曲げて行い、腹筋だけを使うほうが効果的

寝たままお腹に力を入れるだけの「エア腹筋」もおすすめ

仰向けになり、上体を上げ下ろしする腹筋運動。筋力が強い人は、膝を伸ばして行っても構いません。ただし、筋力が弱い人だと、腹筋で上体を起こせず、つい反動を使ってしまいがちです。反動を使って腹筋を繰り返しても効果は望めず、お腹もへこみません。また、腰に負担がかかるため、腰痛を引き起こしてしまいます。

腹筋運動は、上体をほんの少し持ち上げるだけで効果的。あるいは、寝たまま力を入れて抜くだけの「エア腹筋」もおすすめです（P104参照）。日常生活でグッとお腹に力を入れる意識をしているだけで体が引き締まり、腹筋が割れた人もいます。このように、大きな動作を伴わない筋トレでも、十分効果があるのです。

40代・50代のポッコリお腹の原因は間違ったダイエットの積み重ねにある！

努力と我慢をしないダイエットこそ中高年に最適な方法

この章で紹介したクイズに答えてみて、意外に感じた点はありませんでしたか？朝食のとり方や、運動強度による消費カロリーの違いなど、新しい気づきがあったかもしれません。中高年世代は人生経験豊かで、運動や食事など、自分の生活習慣へのこだわりが強い分、勘違いや思い込みもあり、間違ったダイエットを行いがちです。その典型が、無理をして体を痛めてしまう過度な運動、あるいは食べたいものを食べずに我慢する極端な食事制限。身心に過度な負担をかけるダイエットは、往々にして筋肉が減り、脂肪が増える最悪のリバウンドを招きます。せっかく頑張ったのに、太りやすい体質になる残念な結果を迎える事態も少なくありません。

「ダイエットの失敗」を繰り返すたびにお腹ポッコリに…

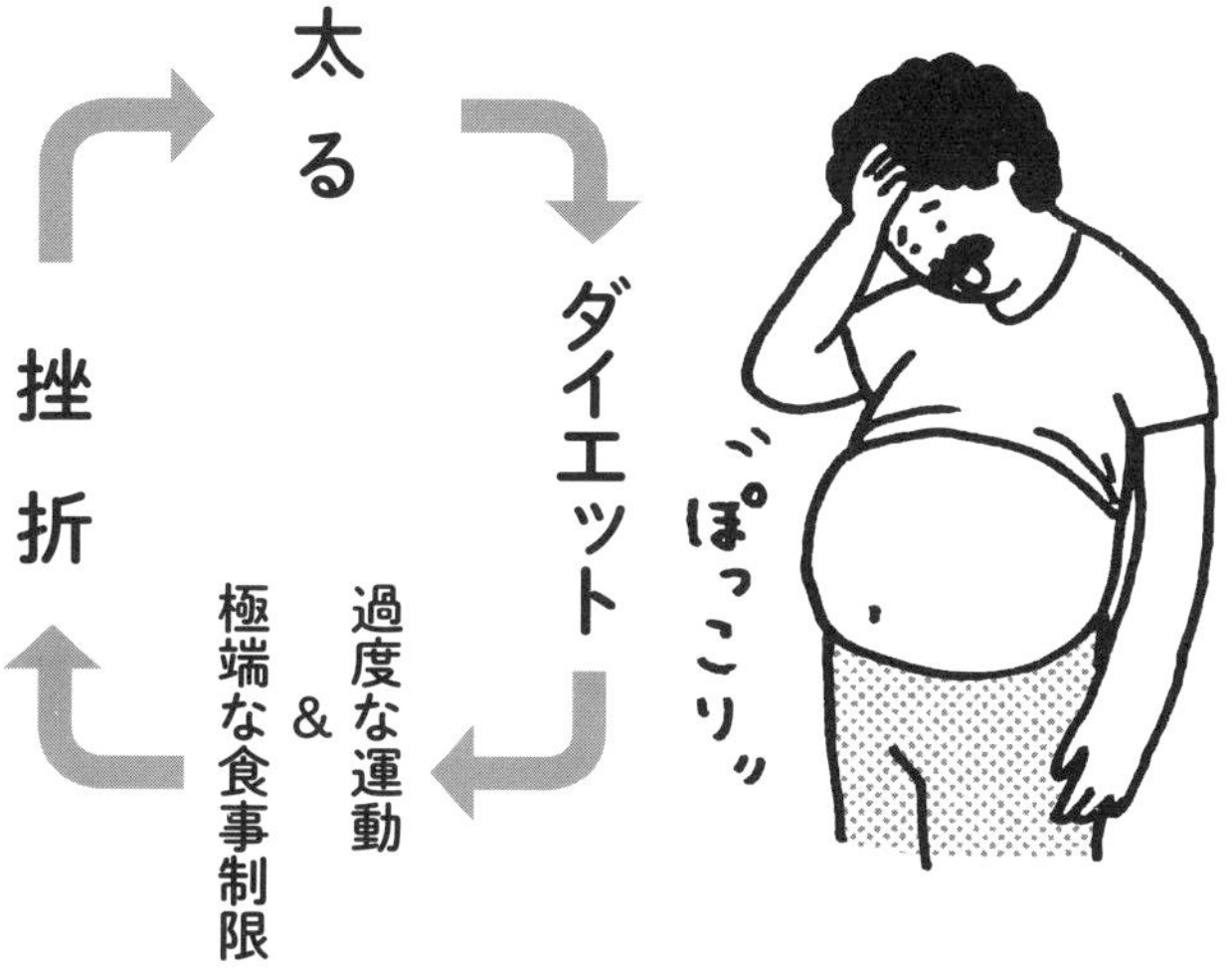

生活習慣を見直し、改善するコツ

□余分な時間とお金をかけずにできることを行う

□いつでも、どこでも実行できることを見つける

□ストレスをあまり感じないように発想を転換する

□「やらなければいけない」ではなく、
「やらないと損をする」と考える

〝損していた行動〟に気づくことが成功のカギ！

基礎代謝や筋力が低下し、体の衰えがリアルに気になる中高年世代のダイエットには、今までの生活習慣を見直した上での〝価値観の転換〟が重要なポイント。ダイエットには努力と我慢が伴うという間違った思い込みを捨て、日常生活の中で無理せずにできる方法を効率よく実践していきましょう。

「やらなきゃいけない…」ではなく、「やらなきゃ損だ！」という価値観に変え、意識せずに自然体でダイエットしましょう。「損をしていた行動」に気づくことが、ダイエット成功のカギです。

Dr.川村's 成功のポイント

「やらなきゃ損だ！」という価値観で無理せずダイエット

中高年世代のダイエットに努力と我慢は一切不要。「やらなきゃ損だ！」という気持ちを上手に利用する価値観の転換こそ大切です！

第2章

努力と我慢をしない
中高年向けのダイエット

Dr.川村式 腹やせメソッドの基礎知識

我慢しない、努力しないことが中高年世代のダイエット成功の秘訣

面倒くさがり屋のあなたこそが、ダイエットに成功できる！

お腹は脂肪がつきやすく、それほど不摂生をしたつもりがなくても、加齢とともにポッコリ出てしまいやすい部位です。ではなぜ、お腹まわりの脂肪はつきやすく、落ちにくいのでしょう。また、お腹についた脂肪を放っておくと、見た目がだらしなくなるだけではなく、メタボリックシンドローム（内臓脂肪症候群）になり、生活習慣病を発症する危険性が高まります。

「運動して、食事量を減らせばいいのはわかるけど、これまで慣れ親しんできた生活習慣を改善するのは面倒くさい…」。そんな声が聞こえてきそうです。でもご安

心を。この〝面倒くさい〟という気持ちをうまく利用することが、ダイエット成功の秘訣なのです。

40代・50代になると体力が衰え、若い頃のようにハードな運動はつらいでしょう。また、過度な食事制限は体への負担が大きく、リバウンドもしやすいので注意しましょう。中高年のダイエットに、〝我慢と努力は禁物〟です。わざわざダイエットのために時間を割き、我慢を強いるから、面倒くさくて続かないのです。

「川村式腹やせメソッド」は、日常生活で誰もが行う「歩行」と「食事」をひと工夫するだけの簡単な方法。日常的に行っている「歩く」「食べる」という行為と意識をちょっと変えるだけで、効率よくダイエットできるのです。運動嫌いで面倒くさがり屋の私がダイエットに成功し、現在もリバウンドしていないことが、何よりの証拠です。この章では、中年太りのメカニズムや生活習慣を改善するポイントを解説しながら、川村式腹やせメソッドの基本理念について紹介していきます。

中高年のポッコリお腹は基礎代謝の低下と筋力の衰えが原因

お腹に蓄えられた脂肪が、前や横に張り出してしまう

中高年になると太りやすくなり、特にお腹だけポッコリ出てしまうという悩みが多く聞かれます。一般的に太る原因といえば暴飲暴食、運動不足など。しかし中高年は、こうした不摂生な生活習慣がなくても太りやすいのです。「以前に比べて食事量は増えていないのに、なぜか体重は増えてしまう…」「体重は変わらないのにウエストがきつくなった…」という人も珍しくありません。

その原因は、〝基礎代謝の低下〟にあります。基礎代謝とは、呼吸や発汗、心臓の拍動、皮膚の新陳代謝など、生命維持のために必要最低限使われる消費エネルギ

ーのこと。1日に消費するエネルギーの6～7割は、基礎代謝によるものです。ところが基礎代謝は、筋肉量によって大きく左右されるため、運動不足などで筋肉量が減り始める40歳を過ぎたあたりから低下が目立つようになります。その結果、以前と同じ量を食べても太るというのが、中年太りのメカニズムです。

40代に入ると、食事でとった脂肪や糖を燃焼させてエネルギーに変える力が衰え始めます。そのため、消化し切れなかった余剰分が脂肪として蓄積されるのです。

しかもお腹は、体を曲げたりねじったりする動作に伴う衝撃から

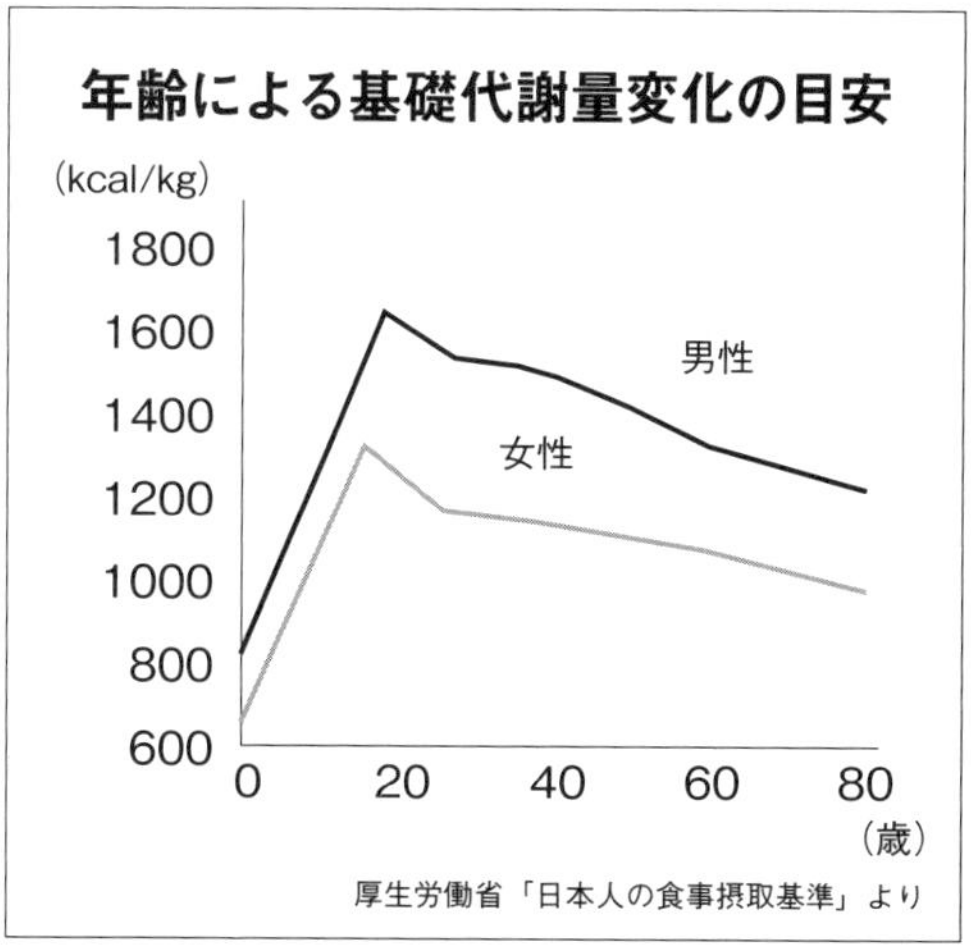

厚生労働省「日本人の食事摂取基準」より

基礎代謝量は、男性で15～17歳、女性では12～14歳でピークを迎える。中高年になると基礎代謝の低下が目立ち、若い頃と同じ食事量だとカロリーが過剰となり太ってしまう。

臓器を守るためのクッションとして、脂肪組織を多くため込んでいます。また、お腹は胸のように骨でガードされているわけではありません。大きく膨らんだ構造上、余分に取ったカロリーが、脂肪となって優先的に蓄えられやすいのです。

さらに中高年になると、腹筋で腹部を支える筋力が低下し、お腹が張り出しやすくなります。若いころは運動量も多いため、筋力も強く、体に張りがありました。しかし、日常生活では腹筋を使う場面は少なく、加齢とともに筋力が低下します。腹筋による腹部を支える力が衰え、蓄えられた脂肪が前や横に張り出しやすくなるというのが、お腹太りのメカニズムです。

例えば、本（脂肪）を本棚（お腹）に戻す際、仕切りの壁が硬ければそれ以上に詰め込むことはできませんが、壁が柔らかく膨らめば、もっと本を詰め込むことができますよね。これと同じ理屈で、お腹は脂肪を取り入れやすい体の構造上、他の部位よりも太りやすく、ポッコリ出てしまうのです。

中年太りで“ポッコリお腹”になる主な原因

- 基礎代謝の低下
- 腹筋の衰え
- 内臓脂肪の蓄積

お腹全体が出ている太鼓腹タイプ、下腹だけポッコリタイプ、脇腹ポヨポヨタイプなど。お腹太りにはさまざまなタイプがありますが、どれも基礎代謝の低下、腹筋の衰え、内臓脂肪の蓄積が主な原因です。中高年のお腹太りは健康に悪影響を及ぼします。生活習慣を見直し、運動不足や食べ過ぎを改善して、ポッコリお腹をスッキリ解消しましょう。

腹筋運動は、逆効果だった!? 腹やせには軽い運動のほうが効果的！

激しい運動よりも軽い運動のほうが、遊離脂肪酸を効率よく消費する

お腹には、内臓脂肪と皮下脂肪がついています。内臓脂肪は内臓のまわりにつく脂肪で、皮下脂肪は皮膚のすぐ下につく脂肪です。内臓脂肪がたまるとウエストが大きくなり、お腹がポッコリ出てしまいます。ただし、内臓脂肪はたまりやすい反面、運動や食生活の改善によって減りやすい性質があります。お腹太りを解消するためには、この内臓脂肪の燃焼に効果がある方法を実践すればよいのです。

また、お腹の脂肪が落ちにくいのは、「運動の仕方を間違っている」からだと私は考えます。大きな誤解をしている人が多いのですが、激しい運動をしたからといって、お腹がやせるわけではないのです。左図をご覧ください。

この図は、運動強度が異なることによって、どんな種類のエネルギー源が、どの程度使われるかを調べたデータです。注目すべきは、運動強度の大きさではなく「遊離脂肪酸（※）」の割合。ダイエットは、内臓脂肪や皮下脂肪を減らして体重を落とすことが目的なので、「遊離脂肪酸」をより多く燃やす運動が効率的なのです。

グラフでは、運動強度「85%」に比べて、「60%」のほうが、さ

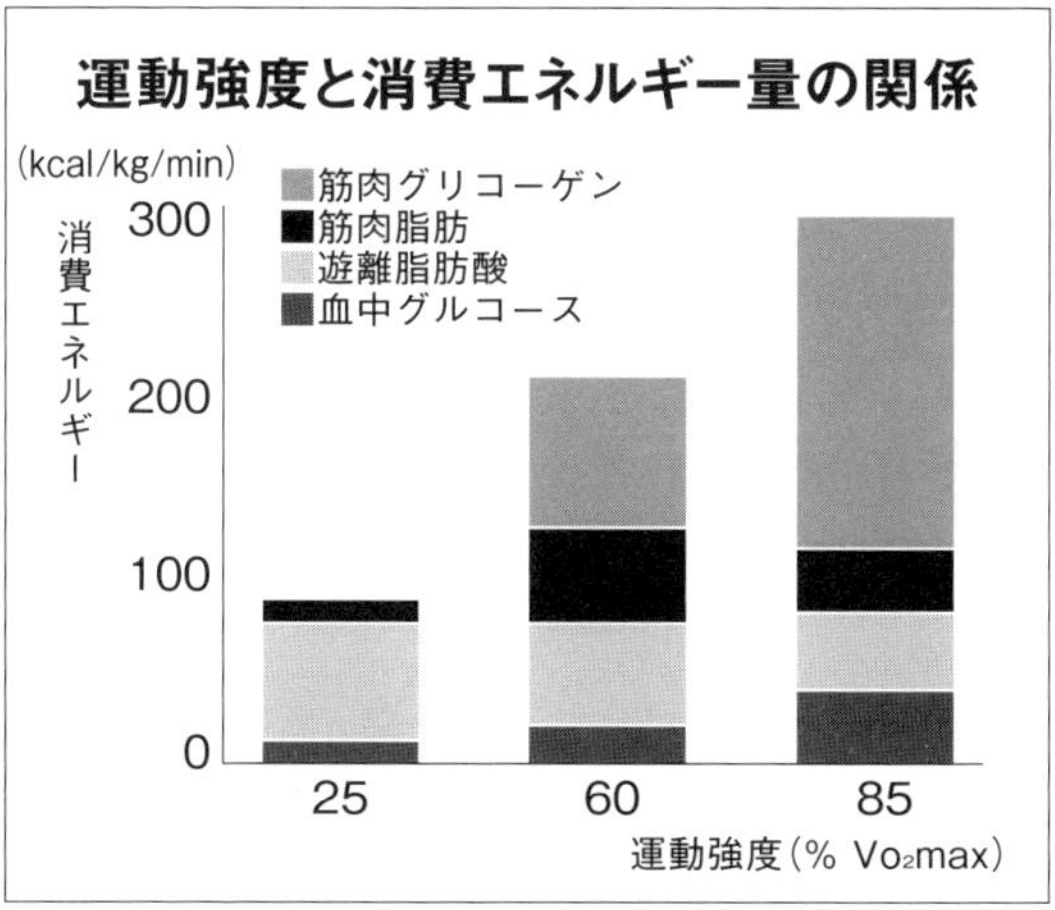

横軸の運動強度（% Vo_2max）とは最大酸素摂取量のことで、「単位時間あたりに組織が、酸素を取り込む最大の量」を示しています。単純にいえば、この値が大きいほど、激しい運動ということになります。

(Romijn, J.A., Coyle, E.F., Sidossis, L.S., Gastaldelli, A., Horwitz, J.F., Endert, E. and Wolfe, R.R.:Regulation of endogenous fat and carbohydrate metabolism in relation to exercise intensity and duration. Am.J. Physiol. 265 (Endocrinol. Metab. 28):E380-E391, 1993) を元に作成

らにそれよりも「25%」のほうが、「遊離脂肪酸」の消費が多いことがわかります。つまり、激しい運動よりも軽い運動のほうが、脂肪は減るのです。

お腹をへこませる運動といえば、仰向けになって足を固定し、上体を上げ下げする腹筋運動を想像する人も少なくないでしょう。しかし、腹筋運動は8Metsと（※）、時速8㎞のランニングや、水泳の軽度なクロール、重い荷物の運搬と同じ程度の運動強度です。しかし、運動強度が高すぎるゆえに、「遊離脂肪酸」が消費される割合は減少し、糖質であるグリコーゲンの消費が多くなるので、脂肪を燃やすのが目的であるダイエットに適した運動とはいえないのです。

一般的な腹筋運動では、腹やせを達成するのは難しいでしょう。腹筋がつけば、確かにお腹の張り出しを支えるストッパーにはなりますが、一方で腹筋の厚みも増すために、腹囲はむしろ大きくなりかねません。

また、運動強度が高い運動をすると、食欲が出ます。激しい運動をしたという満足感から、たくさん食べてよいという心理も働いて、必要以上にカロリーを摂取しがちに…。さらに、激しい運動は、運動不足で衰えた中高年の体に負担がかかり、怪我をしやすく、継続しにくいのもデメリットです。

軽い運動なら、それらの心配がありません。中高年が安全に無理なく取り組めて、しかもエネルギーとして内臓脂肪が優先的に燃焼するから、効率よく腹やせできるというわけなのです。

※遊離脂肪酸：脂肪（中性脂肪）がリポタンパクリパーゼ（ＬＰＬ）という酵素により分解され血中に溶け出た形。他の化合物と結合していない脂肪酸。
※メッツ：運動強度を表す単位で、１Ｍｅｔｓは座って安静にしている状態、通常歩行は３Ｍｅｔｓになる。

お腹の内臓脂肪を減らすことが中年太りを健康的に解消するポイント

ポッコリお腹はさまざまな生活習慣病を招く元凶

肥満のタイプには「皮下脂肪型肥満」と「内臓脂肪型肥満」があり、男性には内臓脂肪型肥満が多くみられます。お腹まわりについた内臓脂肪は生活習慣病を中心とするさまざまな病気の危険因子となります。なお、内臓脂肪型肥満に加えて、複数の病気や異常が重なっている状態を「メタボリックシンドローム（内臓脂肪症候群）」といいます（左図参照）。

メタボリックシンドロームは、直訳すると「代謝症候群」といい、内臓脂肪が原因となって代謝障害が起こり、動脈硬化が進行し、心筋梗塞や脳卒中などの危険度が高まる状態です。つまり、ポッコリお腹の原因である内臓脂肪の蓄積をあなどっていると、命に関わる病気が進行してしまうのです。

厚生労働省の調査（２００７年度実施の国民健康栄養調査）によると、40～74歳の男性では２人に１人、女性では５人に１人がメタボリックシンドロームの疑いが

こんなアナタは
メタボかもしれません

内臓脂肪型肥満の目安（腹囲）

男性 85cm以上
女性 90cm以上

＋

❶血圧
収縮期血圧130mmHg以上または
拡張期血圧85mmHg以上

❷血糖
空腹時血糖110mg／dl以上

❸血清脂質
中性脂肪150mg／dl以上または
HDLコレステロール40mg／dl未満

❶～❸のうち、
2つ以上当てはまる人は、
メタボリックシンドローム

1つでも当てはまる人は、
メタボリックシンドローム予備群

強い人か予備群であると報告されています。2008年からは、40歳から74歳までの中高年保険加入者を対象に、メタボリックシンドロームに該当する人、またはその予備群と判定された人に対し、特定保健指導を行うことが義務づけられました。

　このメタボリックシンドロームを引き起こす大もとの原因が、お腹の脂肪（内臓脂肪）の蓄積です。したがって、お腹の脂肪を放置しておくと、メタボリックシンドロームになる危険性が高まります。

　メタボリックシンドロームを予防・改善するポイントは、内臓脂肪を減らして、ポッコリお腹を解消すること。内臓脂肪がたまる主な原因は、食べ過ぎや運動不足です。内臓脂肪は皮下脂肪に比べて、たまりやすく、減りやすいという特徴があります。つまり、運動と食生活を改善すれば効果的に減らせるということ。「川村式腹やせメソッド」は、お腹についた内臓脂肪から優先的に減っていくダイエット法なので、すぐに効果を実感できるはずです。

ポッコリお腹が引き起こす主な病気

食べ過ぎ、運動不足、喫煙など
不健康な生活習慣

↓

内臓脂肪がたまって
ポッコリお腹に…

↓

メタボリックシンドロームに…
脂質異常　高血糖　高血圧

↓

動脈硬化が進行してさまざまな生活習慣病を発症

●脂質異常症 ●高血糖・糖尿病 ●高血圧症
●狭心症・心筋梗塞・脳卒中 ●脂肪肝
●高尿酸血症・痛風 ●ガン ●睡眠時無呼吸症候群 など

「やらなければいけない…」ではなく、「やらないと損をする！」と考えよう

ダイエットに対する価値観を変えることが成功への第一歩

ここからは、「川村式腹やせメソッド」の基本的なポイントについて説明していきます。私が今まで指導してきた患者さんの例を振り返ってみますと、運動が好きで、健康意識が高く、前向きにコツコツと生活改善できる人は、ダイエットに成功し、その後も順調に体型を維持できています。しかし、私のように運動が嫌いで、我慢もできないタイプは、最初から結果を出そうと頑張り過ぎてしまい、継続することが難しく、やせてもすぐにリバウンドしてしまうことが多いようです。ダイエットは、短期間だけ行ったのでは意味がありません。

例えば無理やり食事量を減らして一時的にやせたとしても、特に運動量が少ない中高年の場合は、栄養バランスが崩れて筋肉が衰え、基礎代謝がより一層低下してしまいます。体重が減ったとしても、それは筋肉量が減ってしまったため。筋肉量が減ると基礎代謝が低下し、その分、脂肪が蓄積されやすくなって、より太りやすい体質になってしまうのです。ダイエットが続かない理由とは何でしょう？　私も数々のダイエットに挑戦し、失敗を繰り返してきました。今までの体験をふり返ると、私の場合は、無理に時間を割いて運動するのが億劫《おっくう》だったり、好きな食べ物を我慢できなかったりして挫折していました。つまり〝無理や我慢〟という後ろ向きの考え方を常に抱いていたことが失敗の元凶だと気づいたのです。

「無理や我慢はかえってよくない！」という考え方の転換がターニングポイントでした。例え話で説明しましょう。「たいした金額じゃないから」と安物買いを繰り返していたら、あっという間に財布のお金が減ってしまった経験はありませんか？

私はダイエットに対して、この「安物買いの銭失い」の理屈を利用しようと思いつきました。つまり、ダイエットのためにわざわざ時間をつくり、特別なことをして大きなエネルギーを消費するのではなく、日常生活の何気ない動作や行為で小さなエネルギー消費をこまめに積み重ねるのです。

例えば、運動の場合。立つ、歩くなどの生活動作では、反動を使ったり加速をつけたりして、無意識に体を効率よく動かしています。この効率性は、消費エネルギーを下げてしまうので、ダイエットの面ではむしろマイナス。逆に、反動を使わずに、自分の筋力でしっかり動くようにすれば、エネルギー消費は飛躍的に増え、筋力アップにもつながります。このような考え方から「腹凹歩き」と「エア・トレーニング」が誕生したのです。しかし、こういった方法を思いついても、運動嫌いの私が継続することはなかなか困難でした。次に悩んだのが、「腹凹歩きをどうやったら習慣づけられるか？」ということでした。

結論から言うと、継続して習慣化するためには、「やらなきゃいけない」というネガティブな義務感ではなく、「やらなきゃ損をする」というポジティブな考え方が大切なのです。腹凹歩きは、お腹を出し入れしながら歩くだけ。日常生活での歩き方をちょっと変えるだけで自然にエネルギー消費を増やせる画期的な方法です。しかも、お金も時間もかけずにいつでもできます。私は、「歩かなくてはいけない…」と考えるのではなく、「せっかく歩くのだから、腹凹歩きをしなければ損だ！」と考え方を変えてから、モチベーションが上がり、習慣化できました。

当然、人により意識や価値観の持ち方は異なるので、私と同じようにすればできるとは必ずしも言い切れません。ただ、ご自身の価値観を変えることができれば、誰であっても可能性は確実に広がります。むしろ、つい「面倒くさい…」と考えてしまうタイプほど、ダイエットに対する意識と価値観を変えることは簡単。つまり、ズボラな人ほどダイエットに成功するのびしろは大きいのです。

食事をじっくり味わって食べると、食欲が抑えられ、自然と少食になる

食事制限よりも〝早食い〟〝ドカ食い〟を改善するほうが効果的

ダイエットをする際、我慢して食事量を減らす人は多いでしょう。この「食事制限」こそがダイエットに失敗してしまう原因。我慢が高じると、ストレスからついつい余分に食べ過ぎてしまう「ドカ食い」を招き、かえって太ってしまうのです。我慢を伴う食事制限よりも自分の「食べ方を見直す」ことが、ダイエット成功の近道といえます。

あなた自身の食生活を、振り返ってみてください。忙しい現代人は、食事のときですら、時間を節約しようとして〝早食い〟になる傾向があります。しかも、太っ

ている人ほどよく噛まずに短時間で食事をすませてしまいがちです。つまり、「食べ物を時間をかけずに速く食べている＝じっくり味わって食べていない」という味気ない食事風景が想像されます。あなたは今日の食事を、しっかりと味わって食べましたか？　食事中にテレビばかり見ていませんでしたか？

そして、この早食いが癖になると、時間がある夕食時や、休日のランチでさえも、かき込む食べ方になりがち。つまり、血糖値が上昇（食べ始めて15～30分かかる）して空腹感が消える（満腹感を感じ始める）前に、必要以上に多く食べ過ぎてしまうというわけです。

「そんなことはない、じっくりと味わって食べている！」、あるいは早食い派の方は、「かき込むのど越しの感覚が好きなんだ」と、いろいろな言い分があるかもしれません。ここでひとつ、思考の実験をしてみましょう。

大好きな食べ物をひとつ思い浮かべてください。霜降りのステーキ肉でもいいし、生クリームたっぷりのショートケーキもいいでしょう。その大好きな食べ物の入手困難な限定品や一切れ1万円もする高級品を、たまたまプレゼントされたことを想像してみましょう。しかも今日中に食べて、プレゼントしてくれた相手に感想を伝えなくてはならないという条件つきです。

あなたは一切れ1万円の高級品を、いつもと同じように食べられますか？「少しずつ、じっくりと味わいながら、時間をかけて食べる」のではないでしょうか。大好きな食べ物を、今までのかき込む食べ方とは異なる「じっくり味わう食べ方」に変えてみるのです。

「自分は今まで食べ物を味わって食べていなかったのでは!?」と感じませんでしたか。今までの食べ方は「好きな食べ物を味わわずに、胃袋に捨ててしまう」もったいない食べ方だったのです。私は診療の合間に時間に追われて食事をしていたため、いつの間にか早食いで大食いの癖が身についていました。しかし、「食べ物を味わって食べないなんて、もったいない！」ということに気づいてから、時間をかけて食事するようになり、食事量も自然と減っていきました。

満腹中枢が刺激されるまでには時間がかかりますから、食べ始めて15〜30分間は空腹感が消えません。かき込んで速く食べるとすぐに胃袋が食べ物でいっぱいになりますが、もっと食べたいという空腹感が残っているのでつい余分に食べ過ぎてしまいます。つまり、ゆっくり時間をかけて食事をすると、料理がなくなる前に空腹感が消えるため、比較的簡単に食べ過ぎを防ぐことができるのです。

ダイエットに「我慢する食事制限」は必要ありません。むしろ食事を心ゆくまで楽しんでください。じっくり味わって食べれば、食事のペースもゆっくりになり、必然的に食べる量が減り、太らない食習慣が自然と身につきます。

「腹凹《はらぺこ》歩き」は、体力が衰え気味の中高年に最適な肉体改造法

お腹を出し入れして歩くだけで筋力&基礎代謝量がアップ！

40代になると、会社では中間管理職を任されるなどして、自分の時間を作り出すことが困難になってきます。また、50代になると、体力の衰えがリアルに気になり始め、運動をしようと思っても億劫になって、なかなか長続きしないでしょう。たとえやり始めたとしても、無理をすると筋肉痛や関節痛が出て、運動の継続が困難になることも…。

そこで、運動の時間をわざわざつくる必要がなく、日常的に行っている「歩く」という行為を腹やせダイエットに変えてしまう「腹凹歩き」をおすすめします。も

ちろん、余分な器具もお金も必要ありません！

腹凹歩きは、お腹を出し入れしながら歩くだけの簡単な方法です。腹筋に持続的に負荷をかけますが、筋肉への負担が少なく、疲労が起こりにくいうえに、続けることにより筋肉量が少しずつ増え、筋肉の持久力も向上します。しかも、普段の歩行より消費エネルギーが増え、お腹のまわりから優先的に脂肪が減っていくため、腹やせダイエットにはうってつけです。

筋肉量が増えると基礎代謝量もアップするので、歩いていない時間にも脂肪が燃焼されやすく、効果的にダイエットすることができます。これにより、ますますリバウンドしにくい〝太らない体質〟が手に入るというわけです。

お腹の出っ張りが気になる人にとっては、まさに理想的なダイエット法。時間がなくても、日常生活の中で無理なく効率よく行える、体力の衰えが気になり始める中高年向けの画期的な肉体改造法なのです。

「努力しない、我慢しない、損しない」が川村式腹やせメソッドの基本理念

ダイエットに対する考え方、価値観を見つめ直そう！

次章以降で紹介する「川村式腹やせメソッド」は、運動が嫌いで、我慢が苦手、そのうえ食べることが大好きな私自身が、40代後半に実践して、3か月で体重10kg減、ウエスト17cm減のダイエットに成功した方法です。しかもリバウンドしておらず、50代で憧れの逆三角形の肉体を維持しています。いくら効果的なダイエット法、肉体改造法でも、体型の維持ができずリにバウンドしてしまっては、まったく意味がありません。

実は腹凹歩きが腹やせに有効であると気づいた当初、私自身、継続することがで

きませんでした。「やらなければならない…」という考え方では長続きしないのです。

そこで思いついたのが「損をしている」、「もったいない」という観点で物事を見つめ直す、考え直す方法でした。川村式腹やせメソッドの根幹は、「ダイエットに対する物の見方、考え方を変える」という点に集約されます。それさえできてしまえば、我慢も努力もせず、自分が目標とするダイエットが、意志の強さとは関わりなく自動的に実現できるのです。

当然、人それぞれ、考え方や価値観が異なるものです。だから物事の見方、考え方を変えるという提案は、私自身の価値観を押しつけようとするものではありません。皆さんの中にあるご自身の価値観を、見つめ直すきっかけとして役立てていただきたいのです。

40代・50代の中高年世代にとって価値観や生活習慣を見つめ直し、変えることは抵抗があるかもしれません。体力も食欲もまだまだ衰えていないと感じている人もいるでしょう。しかし、中年太りやポッコリお腹は、今までのあなたの生活習慣がつくっていることを改めて認識してください。今の生活を続けていては、体型は変わらないでしょう。つまり、太っている原因を見つけないまま、ダイエットで激しい運動や無理な食事制限を行っても、挫折してリバウンドを繰り返すだけ…。つまり、努力と我慢のダイエットでは、むしろ太ってしまい、「損をするだけ」なのです。

人間は、「損をする」、「ムダな努力をし続ける」ことを本能的に嫌うものです。

しかし、価値観がちょっと変わるだけで、それまでの生活習慣も自然と変わっていきます。川村式腹やせメソッドの基本理念は、「損をしない」、「努力や我慢をしない」という考え方にあるのです。

川村式腹やせメソッドで体の中から若返り、健康的に痩せていく

腹凹歩きで、お腹の脂肪が優先的に減っていく理由

私は、自宅と勤務先を往復する際に腹凹歩きを実践して、腹やせだけでなく上半身が引き締まり、「20代の体型みたい！」と周囲の人に言われるほど（ごく一部の人ですが…）、体も若返りました。腹凹歩きでは、ウォーキングと腹筋運動のダブルの効果が得られます。お腹そのものを動かすので腹やせに最適で、歩いた分だけ腹筋運動ができるのです。腹筋を動かし続けていると、お腹まわりの脂肪が優先的に燃やされます。筋トレのように強度の強い運動は、エネルギー源として脂肪よりもグリコーゲン（糖質）を消費する割合が増えますが、腹凹歩きのように強度の弱

い運動は、糖質よりも脂肪がエネルギー源として利用されます。
だから、腹凹歩きは、腹やせに効果的なのです。

便秘解消、腰痛改善、美肌などの健康&美容効果も!

腹凹歩きを行うと、お腹まわりの脂肪の減少がまず現れ、体重が少しずつ減少していきます。副次的な変化として、便通がよくなり、その結果、吹き出物が減ってきたり、肌の張りがよくなったりする人もいます。腹筋を動かすためには体幹を固定する必要があるので、腹凹歩きの最中には、腰まわりの筋肉も絶えず力を発揮することになり、これらの筋肉が強化されるために腰痛の改善も見られます。何よりも基礎代謝が上がりますから、体の中からアンチエイジング効果が期待できるのです。代謝がよくなり、新陳代謝が活性化すると、皮膚の再生サイクルが速まり、血流が改善、疲労物質の除去がスムーズに行われるなど、さまざまな健康・美容効果が、全身に及ぶと考えられます。

つまり、川村式腹やせメソッドは、中年太りを解消する効果的なダイエット法であると同時に健康法でもあるのです。繰り返し述べますが、川村式腹やせメソッドの基本理念は、「損をしない」、「努力や我慢をしない」こと。第3章では「腹凹歩き」、第4章では「エア・トレーニング」、第5章では「脳をダマす食べ方」と、メソッドの実践方法を詳しく紹介しています。いきなりあれもこれも実践しようと頑張り過ぎないでください。まずは、「腹凹歩き」から実践してみて、慣れてきたら「エア・トレーニング」にトライすることをおすすめします。

Dr. 川村式 腹やせメソッドの主な健康効果

- お腹まわりの内臓脂肪が減る
- お腹太りを効率よく解消する
- コレステロール値が改善する
- 血糖値が改善する
- 血圧が改善する

ウエスト17㎝減、体重10㎏減！

川村先生の体に起きたうれしい変化

私は当時勤めていた病院と自宅を往復する際、腹凹歩きを実践しました。歩数にすると約７０００歩。その効果を実感したのは、約３か月たった頃。体重を測ると、何と10㎏減、ウエストは17㎝も細くなっていました。また、私の場合は太っていた頃、中性脂肪値が３５０㎎あったのですが（基準値は50〜１４９㎎）、今は70〜90㎎で落ち着いています。

今もリバウンドせず、50代になって人生で最も均整のとれた体型になることができました。以前は、少し走っただけで息が上がり、呼吸が整うのに約5分かかっていましたが、今は1分で整い、心肺機能も向上しました。

腹凹歩きを実践することで、体の機能も改善することを実感しています。

川村先生のダイエット経過表（2年間）

	平成20年（12月20日）	➡ 平成21年（6月9日）	➡ 平成22年（6月15日）
身長(cm)	173.1	171.2	171.7
体重(kg)	76.0	66.0	66.0
BMI	25.3	22.5	22.4
腹囲(cm)	86.0	69.0	69.0
収縮期血圧	132	124	128
拡張期血圧	84	81	83

−10kg

−17cm

リバウンドなし!
50代になって自分史上
最も均整のとれた体型に

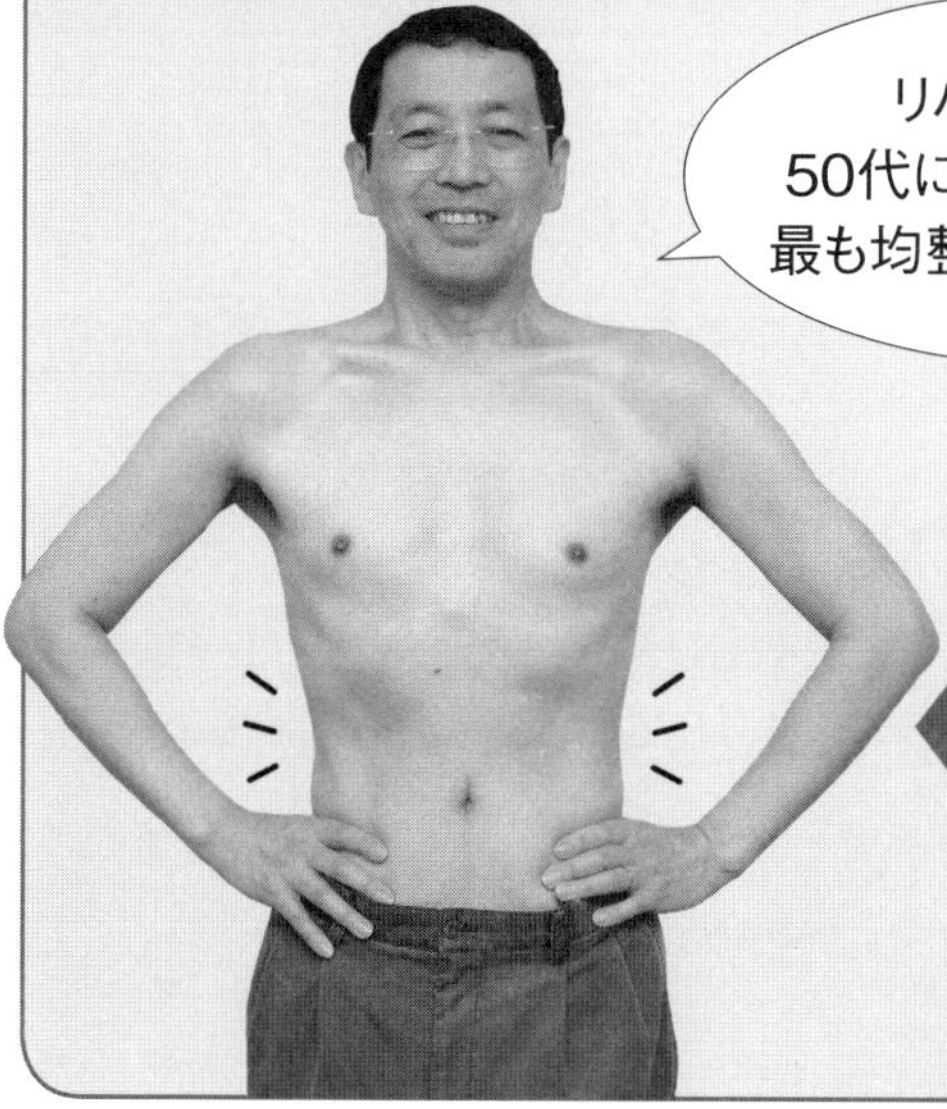

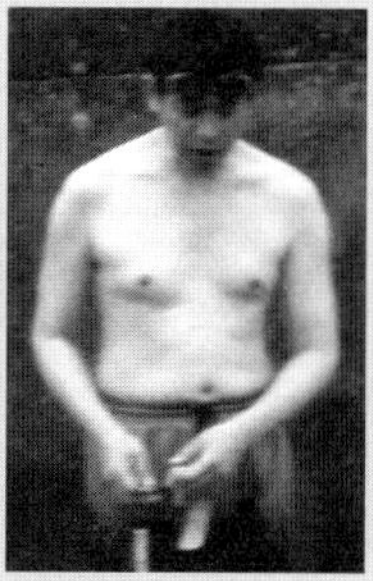

Dr.川村式
腹やせメソッドのメニュー

努力ゼロ！ 運動メニュー

◎お腹からやせる「腹凹歩き」➡第3章

お腹を出し入れしながら歩くだけでOK！ 日常生活の「歩く」という行為に腹筋運動の要素を取り入れた簡単で効果的な腹やせダイエットです。

◎体が引き締まる「エア・トレーニング」➡第4章

腹凹歩きが身についたらエア・トレーニングにトライ！ 器具を使わずに簡単にでき、筋力を効率よく鍛えられ、腹やせ効果がアップします。

＋

我慢ゼロ！ 食事メニュー

◎食べ過ぎを防ぐ「脳をダマす食べ方」➡第5章

食事制限をするよりも、早食い癖を改善することがダイエットには効果的。我慢せず、"じっくり味わって食べる"ことで自然と少食になります。

Dr.川村's 成功のポイント

努力＆我慢しないことがダイエット成功のポイント！

川村式腹やせメソッドの基本は「努力や我慢をしないこと」。日常生活の中で無理なくできそうなメニューから実践してみましょう！

第3章

お腹を出し入れ
しながら歩くだけ！

「腹凹歩き」で
ポッコリお腹を
スッキリ解消！

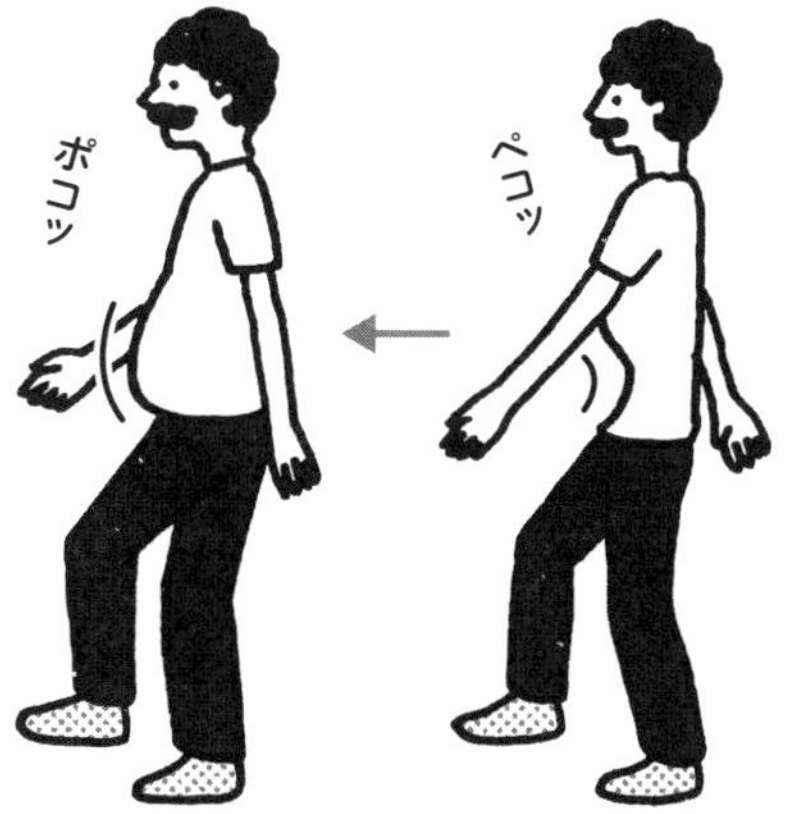

お腹を出し入れしながら歩くだけで脂肪の燃焼効果がアップする！

「歩く」という日常動作を腹やせダイエットに活用する

歩くという動作は日常の習慣として組み込まれています。人生の中でも特に多く行っている動作の1つといえるでしょう。この歩き方を少し変え、運動効果の高い動きにすることができれば、ダイエットのために運動する時間を特別に割く必要はなくなります。

ただ、歩いてダイエットするというと、速足のウォーキングを想像する人が多いのではないでしょうか。速足のウォーキングは、大股で腕を大きく振り、かかとから着地して、ズンズン進みます。だけど、もしも速足のウォーキングでダイエット

ゆっくり歩くほうがダイエット効果は高い！

	ぶらぶら歩く	ゆっくり歩く	普通に歩く	大股で歩く	速歩き	大股で速歩き
時速	3.0 km/h	3.6 km/h	4.5 km/h	6.0 km/h	7.0 km/h	8.0 km/h
1分間あたりの消費カロリー	2.6 kcal	2.9 kcal	3.2 kcal	3.7 kcal	5.6 kcal	10.0 kcal
300kcal消費するのに必要な時間	116分	105分	95分	81分	54分	30分
1kmの移動に要する時間	20分	16分40秒	13分20秒	10分	9分	7分30秒
1kmの移動で消費するカロリー	52 kcal	48 kcal	43 kcal	37 kcal	50 kcal	75 kcal

中野昭一、竹宮隆編『運動とエネルギーの科学』（杏林書院）を参考に作成

できるのであれば、もっと多くの人がやせているはずです。

上表のゆっくり歩きと速歩きの1㎞の移動で消費するカロリーはほぼ一緒。でも、速歩きで節約した時間に間食してしまうと、あっという間にカロリーオーバーに…。歩いている時間は食べることができないので、ゆっくり歩きはその分摂取カロリー減にも貢献しているのです。

「腹凹《はらペコ》歩き」を実践する際も、ゆ

お腹を出し入れしながらゆっくり歩くのがポイント

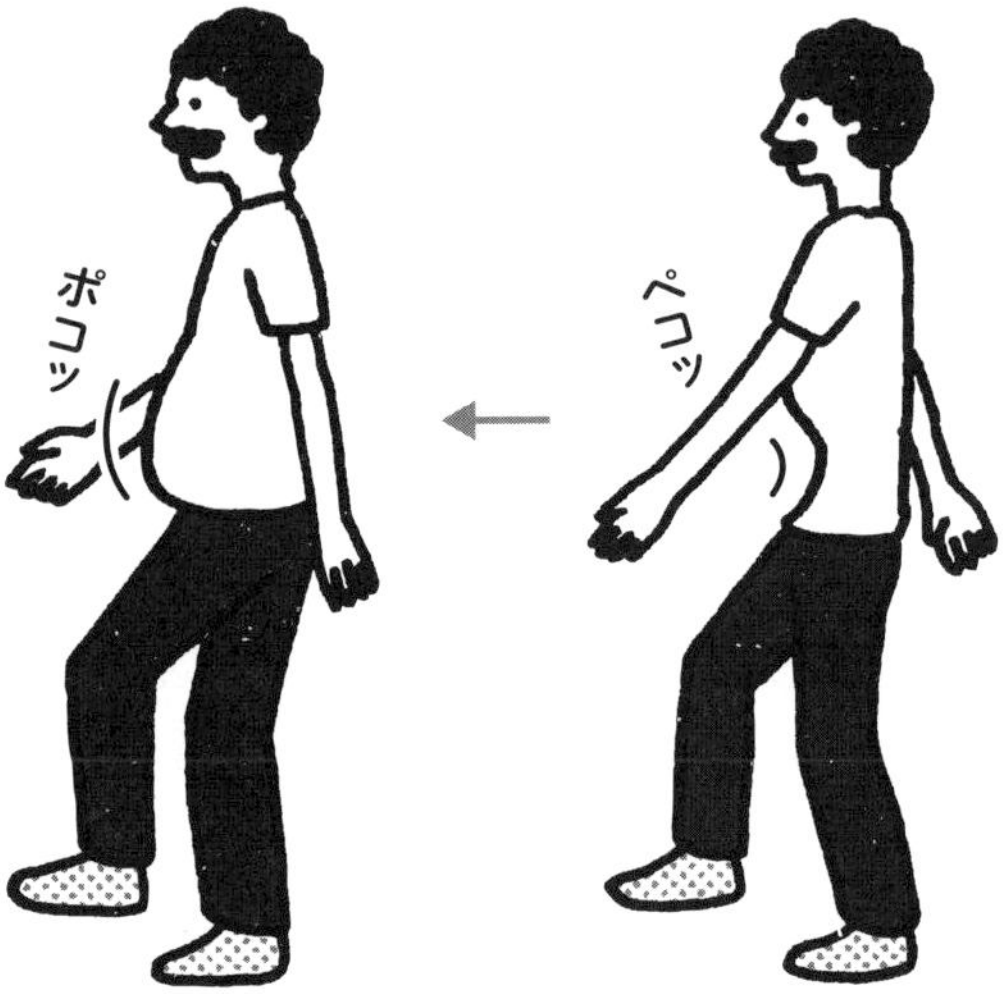

っくり歩いたほうが腹やせ効果はアップします。速足のウォーキングで運動強度が高くなると、脂肪よりもグリコーゲン（糖質）が主なエネルギー源として消費されます。逆にぶらぶら歩く運動強度の低い歩行では、脂肪が主なエネルギー源となります。腹やせは、お腹まわりの脂肪を減らすのが目的。脂肪の燃焼効率を考えると、速足のウォーキングよりもぶらぶら歩きのほうが効果的なのです。

本書で紹介する腹凹歩きでは、運動の非効率性を逆手にとり、腕を振らずにゆっくり歩くのが基本です。日常の歩行との大きな違いは、〝お腹の出し入れ〟を加える点。歩きながら腹筋を動かすことで、お腹まわりの脂肪（内臓脂肪）から優先的に燃焼します。運動強度が低く、怪我の心配もないため、無理なく継続できるのもうれしいメリットです。

次ページから腹凹歩きの実践ポイント、また、引き締め効果の高い歩き方のメニューを紹介します。通常の腹凹歩き（P82〜85参照）に慣れてきたら、引き締め効果の高い歩き方（P86〜91参照）に挑戦してください。

Dr.川村's 成功のポイント

「腹凹歩き」を日常生活で実践してお腹すっきり！

お腹を出し入れしながら歩くだけで、効果的な腹やせダイエットに。通勤や買い物など、日常生活で気軽に実践しましょう。やらなきゃ損です！

「腹凹歩き」で腹筋が強化され、お腹の脂肪から優先的に痩せていく！

歩いた歩数分だけ腹筋運動したことに

「腹凹歩き」は、「お腹をへこませて出す」を繰り返しながら歩きます。ただし、自分の意思で腹筋を動かすのがポイントです。つまり、歩きながら腹筋運動をしていることになります。お腹の動きと呼吸を連動させずに自分の意思で腹筋をコントロールすることで、お腹の脂肪から優先的に燃焼し、腹筋も強化されてお腹がどんどん引き締まっていくのです。

姿勢も大切なポイントです。前かがみや猫背では、腹部が圧迫されて、腹筋をうまく動かせません。背すじを伸ばし、頭が背骨の上にくる姿勢で歩きましょう。

お腹のへこませ方をマスターしよう！

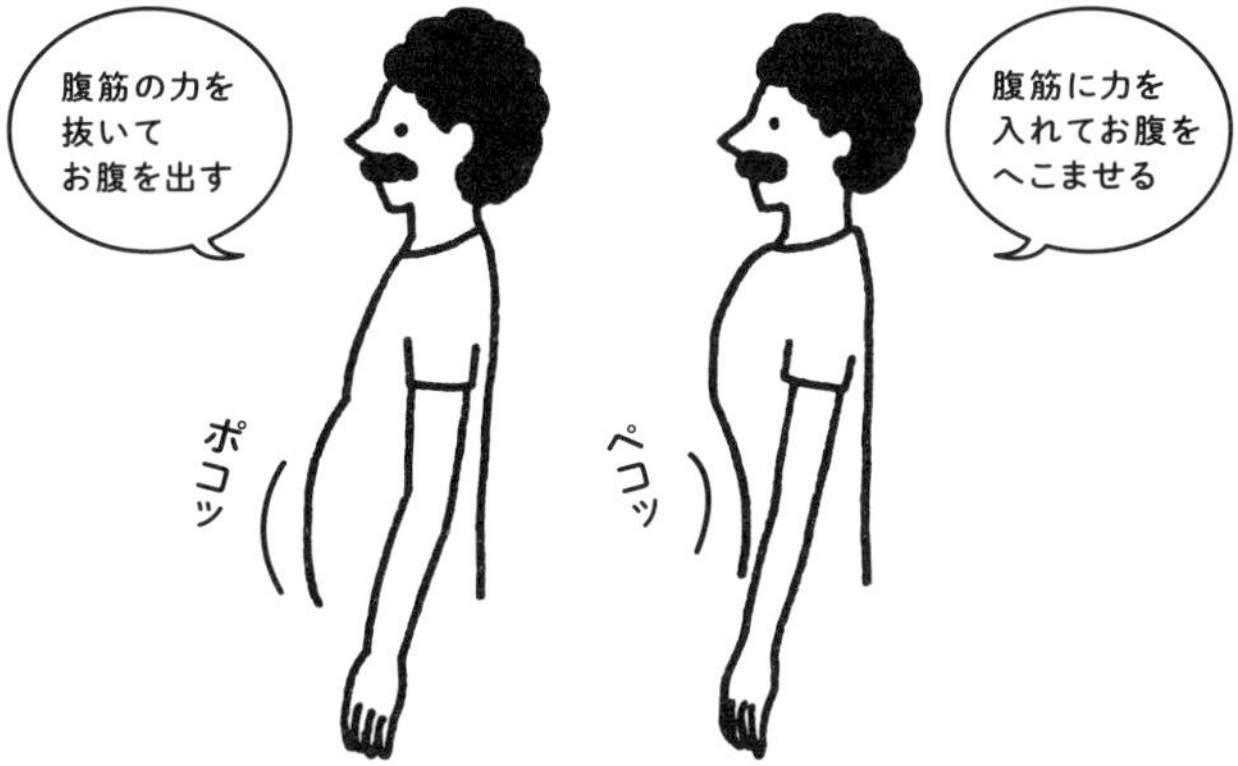

腹筋に力を入れてお腹をへこませ、力を抜いて出す。下腹部から腹部全体を持ち上げるようにすると、より大きく動かせる。うまくできない人は、腹筋を固めるだけ、弛緩させるだけの繰り返しから始めよう。

慣れないうちは…

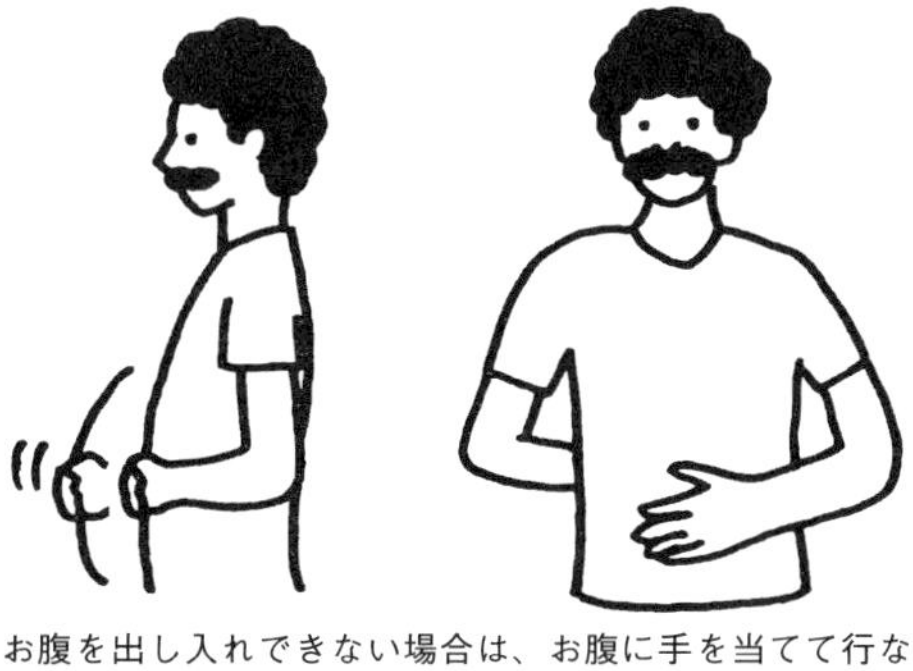

うまくお腹を出し入れできない場合は、お腹に手を当てて行なう。お腹の動きに意識を集中させることで、出し入れがスムーズになる。

1歩ごとにお腹を出し入れする

1歩周期の腹凹歩き

難易度
★★☆☆（1.5）

ここでは1歩を踏み出すまでのお腹の動きを詳しく説明します。過呼吸にならないよう、呼吸と連動させずに、お腹を出し入れしましょう。

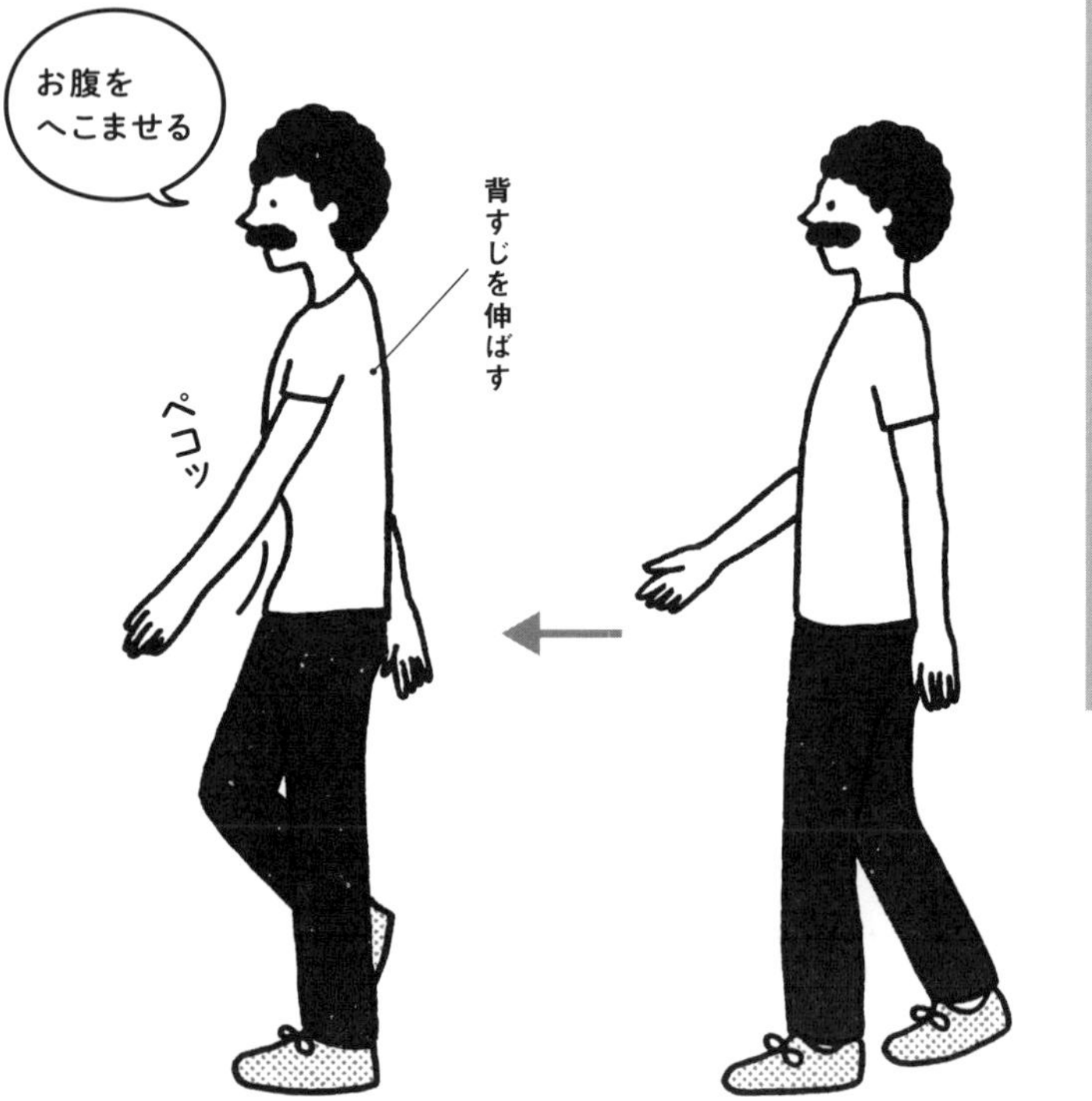

まずはお腹に意識を集中しながら歩き始める。腕を振る反動を使わないように、あまり腕を振らないようにしましょう。

右足を前に送り出すところ。軸となる左足を、右足が通り越す前に、腹筋に力を入れ、お腹をへこませる。

１歩ごとにお腹を出し入れすると歩数分だけ腹筋運動をしたことに!

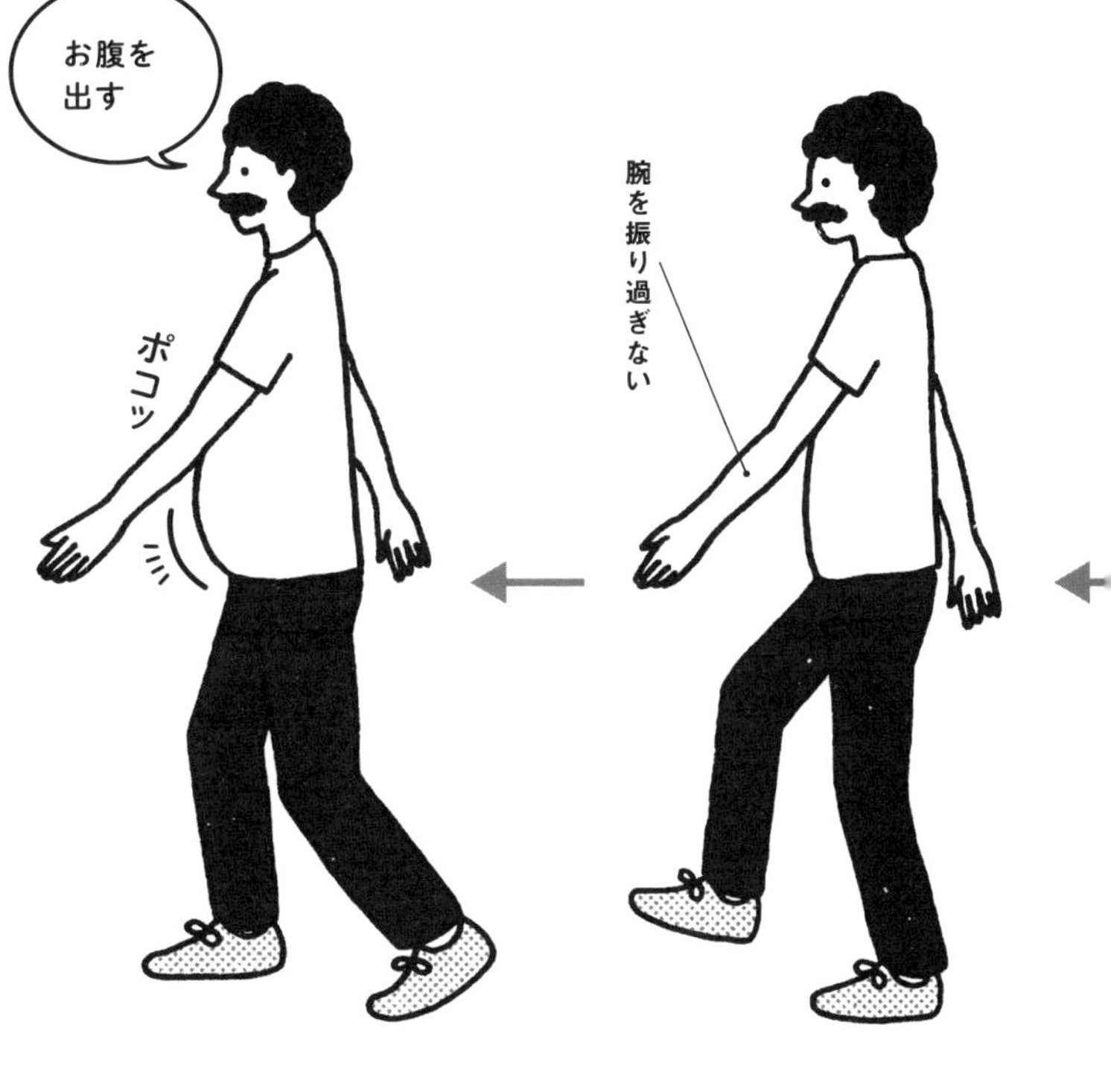

右足が着地するときに、できるだけお腹を出す。慣れないうちはゆっくり歩くと、お腹を出し入れするタイミングがつかみやすい。

左足を通り越したあたりから、腹筋の力を抜くようなつもりでお腹を出していく。お腹を出すときに反動を使いすぎないのがポイント。

※イラストでは右足から踏み出すシーンを紹介していますが、左足から踏み出す場合もやり方は同じです。

1歩でへこませ、2歩目で出す

2歩周期の腹凹歩き

難易度
★☆☆

1歩ごとに、お腹を出し入れするのは、案外ハードです。特に速歩きの人は回数が多くなり、筋肉痛になることも。そういう人は少しゆとりをもって、2歩周期で1回、お腹を出し入れしましょう。つまり、1歩目でお腹をへこませ、2歩目でお腹を出すというサイクルです。1歩周期の腹凹歩きよりも楽にできますが、これでも十分効果的です！

右足を前に出すときに、お腹をへこませる。足の動きとお腹の動きが連動するように意識する。

左足を前に出すときに、お腹を突き出す。難しければ「イチ」でお腹をへこませ、「ニ」で出す。

「イチ、ニ」でへこませ、「サン、シ」で出す

4歩周期の腹凹歩き

難易度
★★☆☆

1歩周期や2歩周期の腹凹歩きだと、呼吸が苦しくなる人向けの歩き方。特に速歩きの人におすすめです。1歩目、2歩目で腹筋に力を入れてお腹をへこませ、3歩目、4歩目で腹筋に力を入れて、お腹を突き出します。「ヒッヒッー、フッフッー」と2回小分けにして吸い、2回小分けにして吐く、マラソンをするときの呼吸リズムに似ています。

1歩目を出したとき、お腹をへこませる。2歩目を出したとき、さらにへこませる。

3歩目を出したときは、腹筋に力を入れてお腹を突き出す。4歩目を出したとき、さらに突き出す。

階段を上るように足を高く上げて歩く

足上げ歩き

難易度
★★☆☆

年をとればとるほど、無駄な筋肉を使わない歩き方をしてしまいます。その代表的な歩き方が足を持ち上げない「すり足歩き」。すり足歩きが癖になると、わずかな段差でも、つまずいて転倒してしまいます。ここで紹介する「足上げ歩き」は、それを逆手に取った歩き方で、普段歩くときにあえて足を高く上げるのです。階段の1段分ほど足を上げるのが目安で、太ももを高く上げることを意識しましょう。つまずかなくなりますし、太ももを上げる分だけ筋肉を使い、腸腰筋も刺激されるので、太ももとお腹が引き締まるだけでなく腰痛対策にもなります。

足の運びは、実際に階段を上るイメージです。背すじをまっすぐにして歩きましょう。通常の腹凹歩きに慣れてきたら、ぜひ挑戦してみてください。

POINT

前に踏み出した足を高く上げ 足裏が着地してから重心を移動する

階段を上るときのように、足を高く上げて歩きます。エネルギー消費量が増え、普段あまり使わない筋肉もしっかり使われるので、通常の腹凹歩きよりも引き締め効果が高いです。

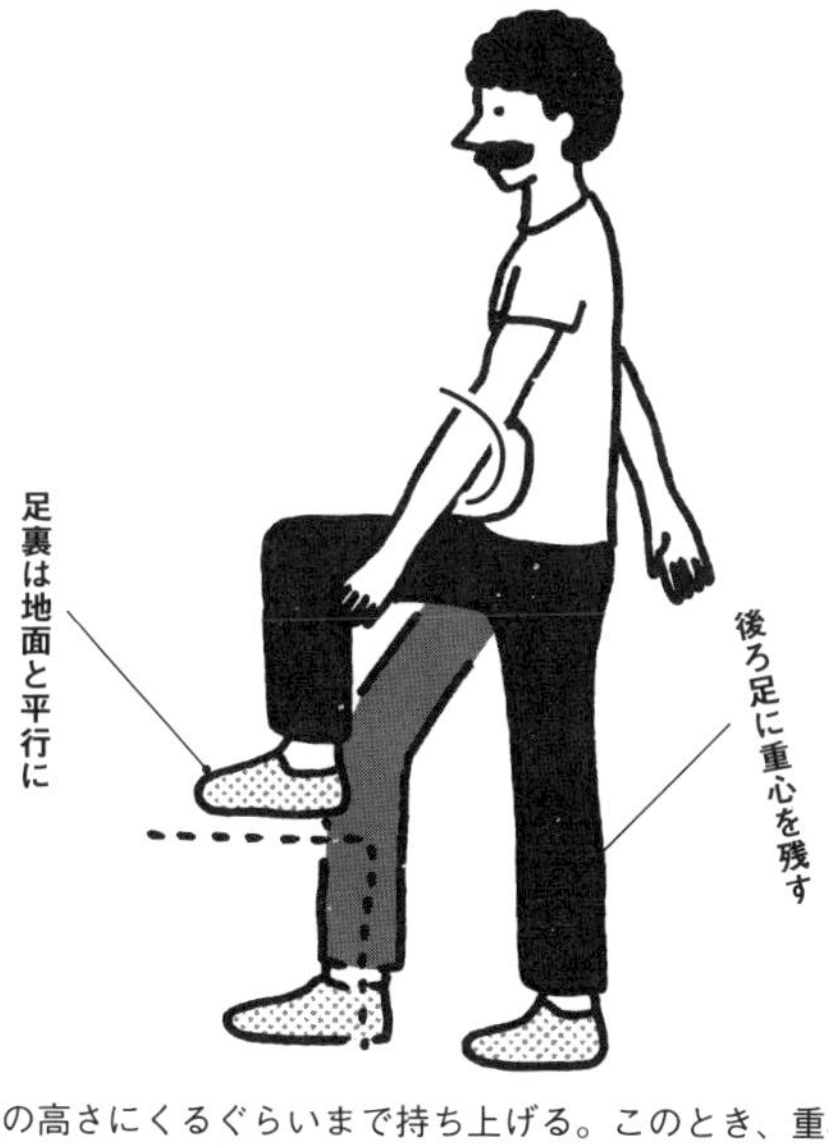

太ももを腰の高さにくるぐらいまで持ち上げる。このとき、重心は後ろの足に残し、お腹をへこませる。次に、体を前傾させずに足を着地。着地してから前に重心移動し、お腹を出す。

狂言師になりきって、「スイーッ」「スイーッ」

狂言歩き

難易度
★★☆☆

狂言師は、膝を少し曲げ、頭を上下させない〝すり足〟で歩きます。この歩き方は目線がブレず、体への衝撃も少なく、体幹や太もも、膝まわりの筋肉を鍛えるのに効果的です。「狂言歩き」では、これをすり足にならないように応用します。

POINT

頭が上下動しないように遠くに目線を置く

5mほど先に目線を置いてください。頭が上下動しないように歩き、お腹を出し入れすることで、腹やせ効果も高まります。

膝を曲げたまま歩く。すり足にならないように、足を5cmほど持ち上げてから、1歩前に出す。

腹筋を左右交互に動かして〝くびれ〟をつくる

腹凹スイング歩き

難易度
★★☆

左右の腹筋に交互に力を入れながら歩く、くびれ効果の高い歩き方。手の指を5本一緒に曲げるより、中指1本だけ曲げるほうが難しいのと同じ理屈で、片側の腹筋だけを動かすと筋肉に大きな負荷がかかり、集中的に鍛えることができます。

POINT

左右の腹筋を交互に引き上げる

腹筋を押し上げるイメージで行いましょう。右側の腹筋に力を入れているとき、左側には力を入れません。片側の腹筋だけ動かすことで効果的に引き締めることができます。

右足を出したとき、右側の腹筋に力を入れる。次に左足を出したときは左側の腹筋に力を入れる。

氷の上を滑らないように、そーっと歩く

氷上歩き

難易度 ★★☆

氷上を歩くとき、滑らないように全身（特に下半身）の筋肉を慎重に動かすはず。グッと踏ん張る歩き方で、太もも前面の大腿四頭筋《だいたいしとうきん》、その裏のハムストリングなど、下半身全域の筋肉が鍛えられます。

POINT

足の裏全面で慎重に着地する

足裏全体で着地。足の裏全面が地面に密着してから後ろ足の膝を伸ばし、重心を前に移動します。氷上をリアルに想像しましょう。

後ろ足のつま先で地面を蹴り、推進力を使う歩き方はNG! 滑りやすい氷上では、転んでしまう。

足を垂直に上げ下げして歩く

砂浜歩き

難易度
★★☆

ビーチサンダルで砂浜を歩くと足裏に砂が入りませんか？　砂が入らないように足裏を地面と平行に上げてゆっくり歩けば、すねの前脛骨筋《ぜんけいこつきん》、ふくらはぎの腓腹筋《ひふくきん》、ヒラメ筋を鍛えられます。反動をつけずに歩いて、エネルギー消費量をアップ！

POINT

足の裏と地面を平行に保って歩く

足を上げるとき、着地するときは、足裏が地面と平行になるように。足が砂にめり込まないようイメージしながらゆっくり歩きましょう。

足裏全体で着地する
足裏を地面と平行に上げる

足の着地方法は氷上歩きと同じ。後ろ足を上げる際も足裏を地面と平行に、ゆっくり上げる。

腹凹歩きの〝重心移動〟を身につけるコツ

腹凹歩きはお腹を出し入れするのがポイントですが、勢いをつけずにゆっくりと重心移動することも重要です。早足で勢いよく歩くより、ゆっくりした重心移動で歩くほうが筋力を使い、カロリー消費量も高いため、腹やせ効果はアップします。

ここでは〝ゆったりした重心移動〟が身につく歩き方のコツを紹介します。

■10kgの靴を履いているつもりで歩く

靴がとても重いとイメージして歩きましょう。普段の歩行では使わない下半身の筋肉に力を入れて歩くため、引き締め効果が高まります。

歩くコツ

①太ももを使って、足をしっかり持ち上げてください。

②重い靴を引きずらず、あえて持ち上げる足運びで歩きましょう。

■100万円もする高価な靴を履いているつもりで歩く

非常に高価な靴を履いたときを想定してください。靴にダメージが及ばないように歩くはず。それは自分の体にもダメージを与えない歩き方です。

歩くコツ

①靴底の一部のみ減るのを避けるため、足裏全面を同時に着地する。

②靴が変形しないように、後ろの足で地面を蹴らない。

■腰痛になったつもりで歩く

歩く衝撃で腰に痛みが走る状況を想定して歩きましょう。腰が痛まないよう、ゆっくりと全身の筋肉を総動員させるため、引き締め効果が高まります。

歩くコツ

①体を上下させずに、足を後ろから前にゆっくりと運びます。

②後ろの足で地面を蹴らないように、そろりそろりと歩きましょう。

腹凹歩きで〝理想のボディ〟をつくるコツ

腹凹歩きに慣れてきたら、ただやせるだけではなく、くびれをつくる、腹筋を割るといったように、体をデザインする歩き方にチャレンジしてみましょう。くびれさせたい脇腹、割りたい腹筋を、具体的に意識しながら歩くだけ。腹凹歩きを応用すれば、あなたが憧れる理想のボディを作り上げることも可能です！

■くびれをつくる！　腹凹歩きの応用テクニック

脇腹は筋肉量が少なく、意識的に動かすのが困難なので、手を使います。少し難しいので、「腹凹スイング歩き」（P89参照）に慣れてから行いましょう。

やり方

①両手で脇腹を押し、その手を押し返すように脇腹に力を入れます。
②力を入れている状況で、お腹を出し入れしながら歩きましょう。

■割れた腹筋をつくる！　腹凹歩きの応用テクニック（6歩周期の腹凹歩き）

腹筋を割るためには、通常の腹凹歩き以上の負荷をお腹にかける必要があります。具体的には、お腹をより深くへこませ、より前へ突き出すのがポイントです。そのために「6歩周期の腹凹歩き」を行います。さらに、腹筋に力を入れる際に、お腹を引き上げる動きを意識的に取り入れると効果が高まります。腹筋を使って、お腹を胸のほうに引き上げましょう。腹筋により大きな負荷をかけることができるので、筋力&エネルギー消費がアップしてとても効果的です。腹部のダイナミックな動きを引き出せるので、比較的短期間で腹筋を割ることができます。

やり方

①腹筋を、1、2歩目で深くへこませる。②3、4歩目で引き上げる。
③5、6歩目で前に突き出す。これを継続的に行う。

体験談コラム1

腹凹歩きで、夫婦あわせて体重18kg減、ウエスト12cm減に成功！

千葉県在住　斉藤義明さん（76歳）　勝恵さん（72歳）

私（勝恵さん）は身長が１５４cmで、体重が56kgありました。それほど太っていたというわけではなかったのですが、足を痛めていたときに、体重による足腰への負担を減らしたほうがいいと心配する娘からすすめられたのが「腹凹歩き」だったのです。

簡単そうだったので、主人と一緒に始めて、近所の公園を散歩する際に実践しています。最初は呼吸とお腹の出し入れが連動してしまい、とまどいましたが、呼吸のことは考えないようにするとうまく歩けるようになりました。体重も、１年もたたないうちに6kgもの減量に成功。ゴムつきズボンのウエストサイズも64〜66cmだったのに、今は60〜62cmで、前にはいていたものはブカブカになってしまいました。

最初は本当にやせるのか半信半疑でしたが、やってみると、3週間たった頃から成果を実感できるようになり、特に腹やせにとても効果的でした。

だけどそれよりもすごいのが主人のほうで、腹凹歩きを始めてから10か月で、73kgから61kgへと、12kgも減量。主人は以前、脳梗塞を患い、足の自由が利きにくいため、それほど運動はできないのですが、それでもウエストが89cmから81cmになり、8cmも減ったのです。

2人とも食事がいちばんの楽しみなので、脂っぽいものを控えるくらいの注意はしましたが、好きなものを好きなように、ほとんど我慢することもなく普通に食べていました。だから、やせた理由で思い当たるのは、腹凹歩きだけなんです。

あとはお風呂に入ったときに、湯船の中でお腹を出したりへこませたりする腹凹

体験談コラム1

エアトレも行いました。お腹のお肉を真ん中に集めると、鏡餅のように盛り上がっていた脂肪も、今はなくなってスッキリしています。

主人は一切リバウンドしていません。私はお正月に、1〜2kg程度増えましたが、休んでいた腹凹歩きを再開すると、すぐにまたやせて、50kgまで戻すことができました。

私は72歳、主人は76歳ですが、この歳になってもやせることができたのです！ 腹凹歩きは簡単で、誰でもできる効果的なダイエット法だと実感しています。これからも、夫婦ともども続けていこうと思います。

10か月間における体重と腹囲の変化

斉藤義明さん（身長170cm）

	実施前	➡実施後	
体重(kg)	73.0	61.0	−12kg
腹囲(cm)	89.0	81.0	−8cm

勝恵さん（身長154cm）

	実施前	➡実施後	
体重(kg)	56.0	50.0	−6kg
腹囲(cm)	64.0	60.0	−4cm

第4章

“すきま時間”に行って
効率よく筋力アップ！

体を
引き締める
「エア・トレーニング」

すきま時間を利用して筋力アップ！引き締め効果が高い「エア・トレーニング」

器具を使わずに行う画期的な筋力トレーニング

第3章で紹介した「腹凹歩き」は、通勤や買い物、散歩のときなど、日常生活で歩くときに簡単にできるメニューです。私は病院と自宅の往復に腹凹歩きをしていました。腹凹歩きにも慣れて、歩く時間を有効に活用できるようになると、「歩かない時間も活用しないともったいない！」という気持ちがわき上がりました。そこで考えついたのが「エア・トレーニング（エアトレ）」です。

エア・トレーニングとは、器具を使わずに行う筋力トレーニングのこと。ギターを持たずに弾きまねをする、「エア・ギター」の筋トレ版といえます。例えば、両腕でバーベルを持ち上げるベンチプレスを想像してみてください。このとき、つい反動を使って持ち上げてしまいやすいものです。反動をつけると加速がついて、筋肉にはあまり負担がかからず、効果も半減してしまいます。また、バーベルなどの器具を使った筋トレの場合、動かす方向は上下の一定方向だけなので、片寄った筋肉の使われ方になってしまいます。

負荷を自ら作り出し、さまざまな筋肉を刺激できる

エア・トレーニングは、バーベルを持っている「つもり」で行うのが特徴です。バーベルを持っているつもりで、力を入れながら、腕をゆっくりと動かします。負荷のレベルは、頭の中でイメージするバーベルの重さ次第。バーベルを両手で持っているつもりで、しっかりと力を入れて行ってください。そして力を入れながら、自分の好きな方向に腕を動かしたり、ねじったりしてみましょう。実際のベンチプ

レスでは使われないさまざまな筋肉を使い、鍛えることができるのです。

エア・トレーニングは、筋肉の「主働筋《しゅどうきん》」と「拮抗筋《きっこうきん》」の両方を鍛えられるのが最大のポイントです。ひとつの動作をするとき、メインとなって働く筋肉を主働筋といい、その動きと逆に働く筋肉を拮抗筋といいます。

例えば、腕を曲げる場合、上腕二頭筋《じょうわんにとうきん》が主働筋として収縮し、上腕三頭筋《じょうわんさんとうきん》が拮抗筋として弛緩して主働筋の動きを補助しています。つまり、バーベルを持ち上げる筋トレでは、腕を曲げる側（主働筋）が主に鍛えられ、その裏側の筋肉（拮抗筋）は鍛えられません。器具を使わないエア・トレーニングなら、自由に負荷を作り出せて、そのために拮抗筋を使うので、主働筋と拮抗筋の両方を同時に鍛えられます。お金も時間もかけずに、いつでもどこでも簡単に効率よく筋力をつけることができる画期的な筋力トレーニング法なのです。

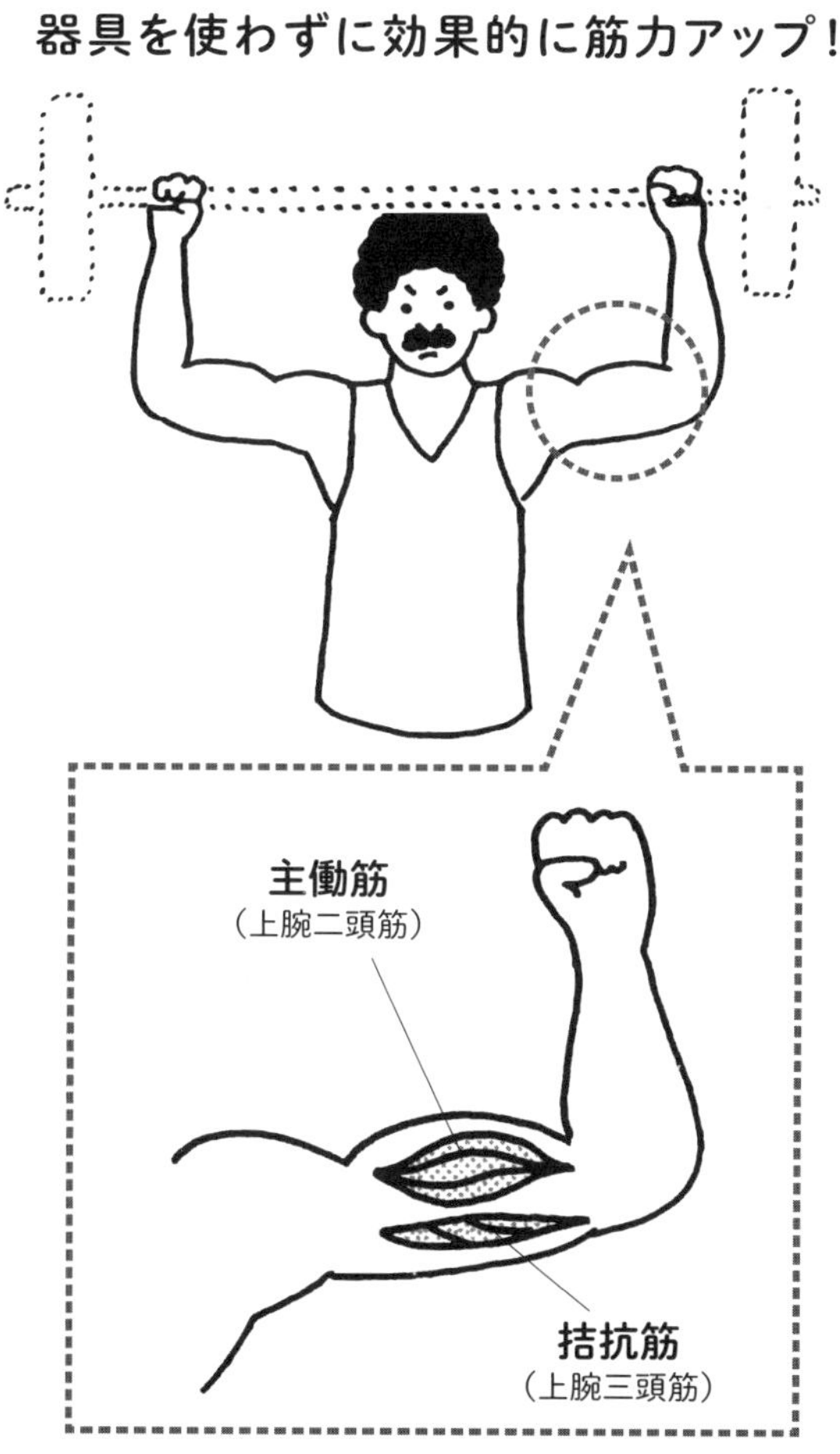

肘を曲げながら力を入れているときは上腕二頭筋が主働筋、その裏側の上腕三頭筋が拮抗筋となる。肘を伸ばすときは逆に上腕三頭筋が主働筋として収縮する。エア・トレーニングは、主働筋と拮抗筋の両方を同時に鍛えることができる。

エア・トレーニングの基本をマスターしよう！

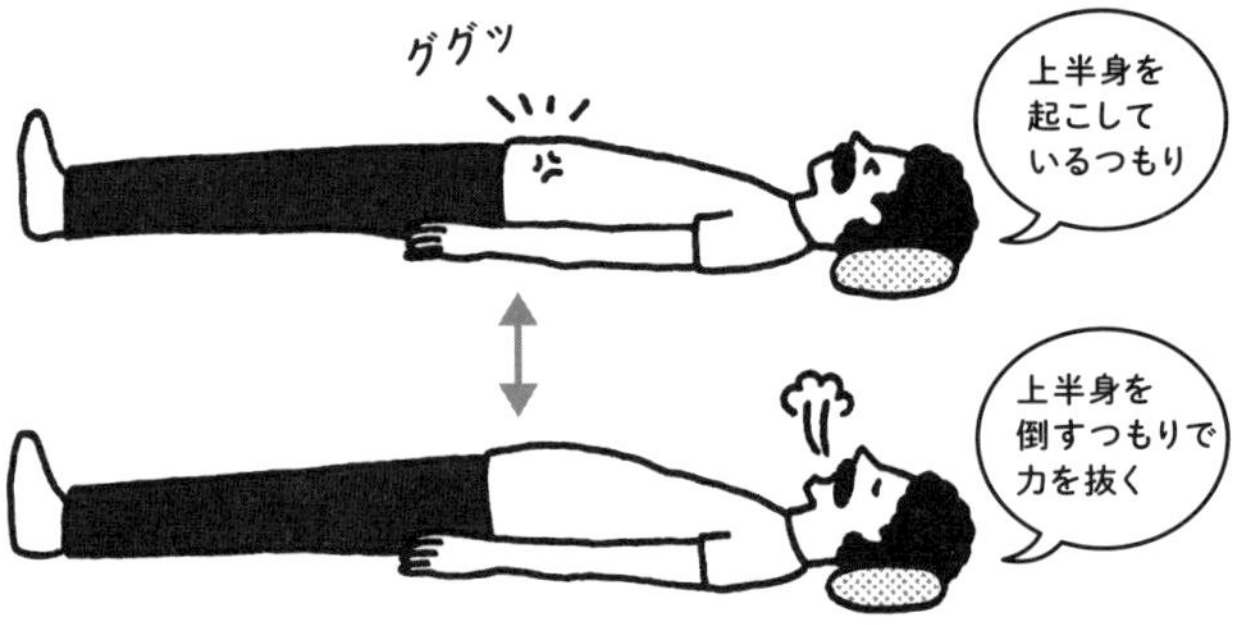
ググッ
上半身を起こしているつもり
上半身を倒すつもりで力を抜く

横になって腹筋運動をイメージするだけ。寝たまま、上体を起こす「つもり」で腹筋に力を入れる。上体が起きてしまわないように、抵抗する背中の筋肉も動員。

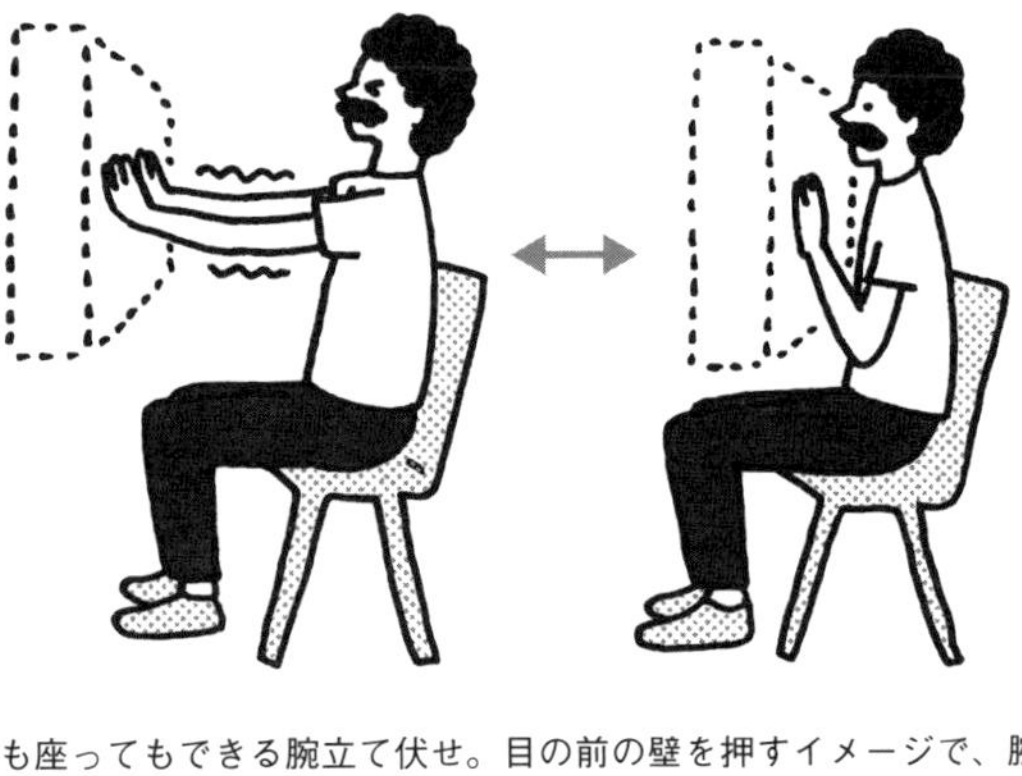

立っても座ってもできる腕立て伏せ。目の前の壁を押すイメージで、腕に力を入れながら曲げ伸ばしするだけ。力を入れ続けたままゆっくり行うのがポイント。

体力の衰えが気になる中高年に最適!

エア・トレーニングは自分の意識次第で、かなりの負荷を、あらゆる方向に作り出せます。お腹、腕、脚、背中など、さまざまな部位の筋肉を自由に鍛えられ、いつでもどこでも日常生活の〝すきま時間〟を利用して簡単にトレーニングできます。安全性も約束されていますから、体力の衰えが気になり始めた40~50代の方、ご高齢の方にもおすすめです。

次ページから、エア・トレーニングにお腹の出し入れ運動を組み合わせた「腹凹エアトレ」のメニューを紹介します。日常生活で気軽に実践してください。

Dr.川村's 成功のポイント

さまざまな筋肉を刺激して 簡単&効果的に体を引き締める

いつでもどこでも気軽に行えるのがエア・トレーニングの特徴。日常のすきま時間を利用して筋肉を刺激し、効率よく体を引き締めましょう。

便通が改善し、お腹スッキリ！

トイレでできる腹凹エアトレ

便座に座りながら腹筋を動かすことで、お腹の〝中も外も〟スッキリさせる腹凹エアトレです。便意は、便が直腸《ちょくちょう》にたまってくるともよおすのですが、直腸内の便と一緒に、S状結腸《けっちょう》や、その手前の下行《かこう》結腸にある便も排せつされると、お腹がとてもスッキリします。

ただし、下行結腸からS状結腸に移行す

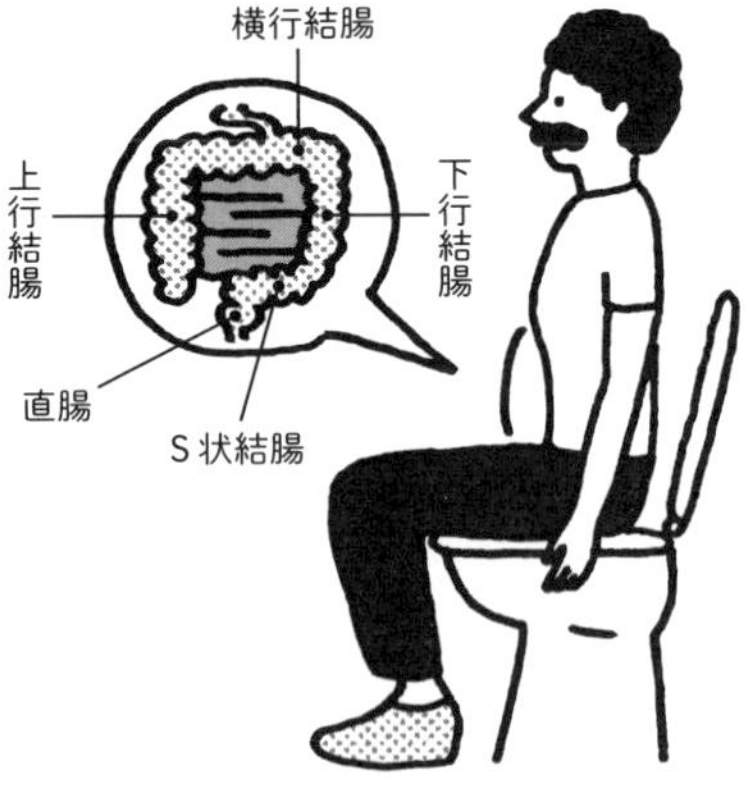

腹部左下は腸の構造上、急カーブしていて便が滞留しやすく、それが腰痛を招く原因にもなっている。

るS-D屈曲部は、ヘアピンカーブのように曲がり方がとても急激なため、S状結腸に便が流れて行きにくいのです。交通渋滞が起きやすい急カーブがあると思ってください。ここが渋滞すると、下腹部がポッコリ膨らみ、腹痛の原因にもなります。

左下腹部が頻ぱんに痛くなる人は、ここで便が滞留しているのかもしれません。したがって、この部分を、手で左下から中央へ（やや上向きに）便を流すように圧迫すると、排便が楽になってお腹スッキリ！　腹痛も軽くなります。

POINT

手のマッサージはリズミカルに

手のマッサージは強くせず、リズミカルに。お腹の出し入れ運動は、できるだけ下腹部の筋肉を動かすように行ってください。

お腹の出し入れ運動は、下腹部を動かすのがポイント！

お腹を出し入れしながら、手で腹部の左下から中央へ（やや上向きに）、便の流れを促すように圧迫する。

水圧がかかり腹やせ効果がアップ！

入浴中にできる腹凹エアトレ

お風呂に入りながら、お腹を出し入れする腹やせトレーニングです。

まずは、半身浴の状態で胸まで湯に浸かり、お腹をへこませて、お湯を手前に引き込みます。次にお腹を突き出して、そのお湯を前に押し出します。体が冷えて少しつらくなったら、今度は肩までお湯に浸かり、体が少し斜めの状態になります。この状態

半身浴の状態で、お腹を出し入れし、その動きでお風呂の中の湯を動かす。30 ～ 50 回程度。

でお湯を自分のほうへ引き込むようにお腹をへこませ、次にお腹を突き出し、お湯を強く押し上げます。すると、お湯は上下に波打つようになり、水圧でお腹に適度な負荷がかかります。また、波打つ水面が見た目でわかるので、運動が可視化され、やる気もアップするでしょう。

お腹に水圧がかかる分、腹やせ効果は高いです。なお、浴室は湿度と温度がともに高いため、息苦しくなりがち。血圧が高かったり、心肺機能が低下している人は、無理のない範囲で行ってください。

POINT

姿勢の改善、腰痛予防にも効果的!

腹筋を使うと、同時に腰周りの筋肉も鍛えられます。するとウエストが引き締まってコルセットのような働きをし、姿勢改善、腰痛予防にもなります。

肩まで湯に浸かった状態で、お腹を出し入れし、その動きでお風呂の湯を波立たせる。30～50回程度。

ふくらはぎをキュッと引き締めて美脚に！

座り走り腹凹エアトレ

イスに腰かけて、左右の踵を交互に上げ下げします。ふくらはぎの筋肉を鍛えるのに有効で、脚やせ効果が期待できます。手を膝の上に置くことで、負荷を調整してもよいでしょう。体の上下動がなく、体重の負荷がないのが利点です。

POINT

負荷やスピードを変化させながら実践

座ったままできる脚やせトレーニングです。速さをいろいろ調節してみましょう。お腹を出し入れしながら行うと、より効果的。足のむくみも改善します。

足裏が地面に着く高さのイスに腰かけ、踵を左右交互に上げ下げする。踵は下ろすが地面にはつけない。

超簡単！ 満員電車でもできる腹やせ運動

立ったままできる腹凹エアトレ

通勤電車は絶好のエアトレタイム。電車のつり革につかまった状態で膝を内側に絞り、肛門を締めて、腹筋に力を入れます。お腹の出し入れは、1駅分へこませたら、次の1駅分はお腹を突き出すなど、自分に合ったリズムで行いましょう。

POINT

筋持久力を高め脂肪燃焼に効果的!

駅の区間を目安に、お腹をへこませ続けたり、出し続けたりします。時間が長いほど腹筋の筋持久力が高まり、脂肪燃焼効果もアップ。

つり革を持ち、腹筋に力を入れてお腹をへこませる。膝を内側に絞り、肛門を締めると下半身に力が入る。

CMタイムにお腹を出し入れ

テレビを見ながらできる腹凹エアトレ

テレビのCM時間は通常約2分。短いものは1分30秒から、長いものだと3分程度。この時間を無駄に過ごすのが、とても〝もったいない〟と思ってください。CMタイムを活用して、お腹を出し入れして、無理せず腹やせしましょう。

POINT

お腹を手で押さえて腹筋を動かす

手をお腹に触れて軽く押した状態で、お腹を出し入れ。腹筋を意識しやすく、適度に負荷がかかるため、腹やせ効果がアップします。

習慣化するために、目につきやすいテレビの脇などに、「CM＝腹凹エアトレ」と書いた紙を張っておこう。

手でお腹を押さえ、腹筋で押し返す

寝たままできる腹凹エアトレ

仰向けになって、お腹に乗せた手を押し返すように、お腹を出し入れするだけ。脂肪を取りたい部位に手を当てて、ピンポイントで腹筋を動かしましょう。就寝時や起床時に、5～10分で構いません。行う時間帯を決めて実行し、習慣化しましょう。

POINT

**手でお腹を押しつけ
腹筋で押し返す**

お腹を押しつける手の力に逆らうように、腹筋に力を入れて押し返します。お腹に雑誌などのおもりを乗せて行うのもよいでしょう。

仰向けになり、お腹の上に両手のひらを乗せて、お腹を押しつける。この状態でお腹を出し入れする。

体験談コラム2

60kgの壁を越え、高校時代のベスト体重56kgに！

愛知県在住　松林秀彦さん（49歳）

私の当時の体重は、60kg（身長164cm）。太っているほうではないのですが、病気を患っていたため、血圧が高いことが悩みのタネでした。そこで少しでも体にかかる負担を減らそうと、高校生のときのベスト体重である55〜56kgくらいを目指し、約10年前からさまざまなダイエットに取り組んできました。ところが最大65kgくらいから、60kgまでは比較的楽にやせられるものの、それ以上は体重が減らず、途方にくれていたのです。

そんなとき、大学時代の友人である川村先生に再会し、「腹凹歩き」の存在を知りました。川村先生と同じ医師である私（産婦人科医）は、ダイエットに取り組んではいましたが、あえて運動のために時間を割くことまではできませんでした…。そのため、日常生活の中でいつでも自分のペースでできる腹凹歩きとエア・トレーニングなら、私に向いていると思いました。

実践したのは、2歩でお腹の出し入れを行う「2歩周期の腹凹歩き（P84参照）」。通勤が片道徒歩20分なので、毎日往復で40分、ペコポコとお腹を出し入れしながら歩きました。最初は思い通りにお腹を出し入れできませんでしたが、3〜4日経った頃には慣れて、自然とできるように。コツをつかめば簡単なので、「うまくできない…」と思っても、心配なさらず続けてほしいです。もう1つ実践したのが、「入浴中にできる腹凹エアトレ」（P108参照）。湯船の中で100回、一度体を洗ってからまた湯に浸かって100回、毎日計200回ほど行いました。

すると、始めて2か月で体重が2kg減。越えられなかった60kgの壁をいとも簡単

体験談コラム2

に越えられたのです。もちろんウエストにも効果が現れ、昔のズボンがはけるようになりました。正確に計っていないのですが、おそらく3㎝ほど減っています。

人間は〝慣れる生き物〟なので、飽きずに続ける工夫も大切です。だから腹やせメソッドのいろいろなメニューを試してみるのがおすすめ。私の場合は〝歌うこと〟が好きなので、お腹の出し入れ運動と呼吸を連動させ、お腹の出し入れ時に「ハッ、ハッ」と無声音を発して発声練習を兼ねたり、ときには他のダイエットを組み合わせたりして、飽きない工夫をしています。今は「2歩周期の腹凹歩き＋入浴中にできる腹凹エアトレ」に、ごはんの量を減らす低炭水化物ダイエットなどを組み合わせて、56㎏をキープ。血圧を下げる薬の量も減り、体も軽くなってうれしい限りです。自分が無理せずにできる最小限のことを、工夫しながら続けるのがダイエット成功の近道だと、私は思います。

第5章

食事制限せずに
食べ過ぎを防ぐ！

自然と少食になる「脳をダマす食べ方」

じっくり味わって食べることが大切！脳を〝ダマして〟食欲を抑える工夫を

食事制限よりも早食いをしないことがポイント

食事でまず気をつけたいのが〝早食い〟です。かき込むように速く食べると、空腹感がなかなか消えないため、「お腹がいっぱい」という指令が脳に送られる前に食べ過ぎてしまいます。太っている人ほど、よく噛まずに短時間で食事をすませる傾向が強いようです。ダイエットにおける食習慣の改善ポイントは、「じっくり味わって食べること」。したがって、時間をかけておいしく食事をする工夫をすれば、食事制限という我慢をせずにダイエットできるのです。脳もしっかり食べたと認識して、自然と食欲が抑えられ、食べ過ぎを防げます。

✕ 太っている人のNGな食習慣

- 一口の量が多い
- 早食いである
- 辛いもの、濃い味が好き
- 肉や脂っこいものが好き
- 残すことができない
- 人の残り物も食べる
- 食事の直後でもお腹が空く
- 間食が好き
- 開封したお菓子は全部食べる
- 甘いものが大好き
- お酒を飲むときに
おつまみを多く食べる

○ やせている人の食習慣

- 一口の量が少ない
- ゆっくり味わって食べる
- 野菜を多く食べる
- 食べきれなくて残すことが多い
- 食事の間があいてもつらくない
- あまり間食しない
- 好きな食べものでもお腹がすいていなければ食べない

Dr.川村's 成功のポイント

食べ方や調理のひと工夫で時間をかけて味わおう！

無理な食事制限でストレスをためるより、早食いなどの食べ方の悪癖を改善したほうが効果的です。料理をじっくり味わって食べましょう！

Dr.川村式腹やせメソッド

食べ方編

〝気をつけよう〟と思いながら、食べ過ぎてしまう人、いませんか？　早食いやドカ食いなどの悪癖は、食べ方をひと工夫することで改善できます。また、「残さずに食べないと気がすまない」という人には、無駄にすることなく食べ過ぎを防ぐテクニックも紹介しますのでご安心を。食事制限せずに、おいしく味わって食べながら腹やせできます。

01

「三点食い」で栄養バランスに配慮。早食いも防止できる優れた食事法！

一品ずつ完食していく〝一点食い〟は、栄養バランスが偏りやすいので注意。また、おかずを食べ続けると濃い味に舌が慣れて、味覚が狂い〝早食い〟にもなりがちです。おかず、ご飯、味噌汁を交互に口にする〝三点食い〟で、時間をかけて食べるのがコツ。デザートは最初に１／４ほど食べると血糖値が少し上がって、空腹感が和らぎます。

02

お菓子は別腹にしない！食べたいときは、おかずの一品にしてしまおう！

お菓子が大好きで、つい間食してしまう人は、食事の一品として食べましょう。その分、おかずやご飯の量が減るはずです。間食や、〝別腹〟として食べると、どうしても太ってしまいます。

03

実は行儀は悪くない!? 食器を置いて食べ、かき込んで食べる悪習慣を防ごう

器を持ち上げる文化は、実は日本以外ではあまり見られません。器を置いて食べるとガツガツとかき込めなくなり、必然的に食べるスピードを抑えられます。

04 ご飯や麺類などの炭水化物は、食器を上げ底にしてボリューム感＆満腹感をアップ！

「食べ物は残さずに全部食べないと気がすまない」という人がいます。そういう人は、ご飯茶碗やお椀、お皿を上げ底にしましょう。見た目のボリュームもあり、全部食べ切った満足感も得られます。食器を選ぶ際はまず、深皿を避けること！

05 箸置きは早食い＆過食を防ぐ昔ながらの知恵。箸をこまめに置けば、その分ゆっくり食べられる

一口分を口に入れたら、しっかり味わうために、箸は箸置きへ。箸置きがないと、口に入っている最中から次のおかずを物色する〝早食い〟になりがち。箸置きを使う上品な雰囲気の食卓が、早食い＆食べ過ぎ防止に通じるのです。

06

利き手でないほうの手で食べれば、食事ペースが自然とゆっくりに

利き手でないほうの手で食事をすると、箸がうまく使えないため、必然的に食べるスピードがダウン。早食いの防止に効果的です。食べにくいかもしれませんが、脳トレにもなり一石二鳥!?

07

スプーンはティースプーン、箸は菜箸を使う。カレーは箸を使って、〝かき込み食べ〟を防止!

小さなティースプーンや長い菜箸を使って食べれば、スピードダウン。子供用の箸や、韓国の鉄箸でもＯＫです。カレーも箸を使えば、ゆっくり食べられます。

08

食事中はテレビをオフに！　テレビを見ながらの〝ながら食べ〟は、ダラダラと食べ過ぎてしまう…

テレビを見ながらの〝ながら食べ〟は、食事時間がだらだらと長くなり、つい食べ過ぎてしまいがちです。また、意識がテレビに集中し、料理を味わって食べていないため、満足感も得られません。

09

1ページ読んだら一口食べる。小説や漫画のページ数を食事ペースの目安にする

「このページを読み終えたら次の一口…」。そんなノルマを課すとゆっくり食べられます。ただし口の中に料理が入っているときは、その味に集中しましょう。

10

夕食を食べながらおかずを弁当箱に詰めて、明日のお弁当を作ってしまおう！

食べ物を残せず、つい夕食を食べ過ぎてしまう人は多いはず。ならば、夕食を食べながらおかずを少しずつ空の弁当箱に詰めていきましょう。夕食をムダにすることなく、食べ過ぎも防げます。翌朝お弁当を作る手間も省けるので奥さんにも喜んでもらえる〝一石三鳥〟の裏技です。食べる前に取り分けると、きれいに盛りつけられます。

11

おにぎりは8等分。ステーキはサイコロ状に。一口分を小さくすると噛みやすく、咀嚼回数もアップ

一口分が大きいと、噛まずに流し込むような〝ドカ食い〟になりがち。一口分の量を少なくするために、おにぎりは8等分、ステーキもサイコロ状に8等分に切り分けてみてください。小さくしたほうが噛みやすいので、咀嚼回数が増え、満腹感が高まります。つまり小分けにすれば早食い＆食べ過ぎ防止になるというわけです。

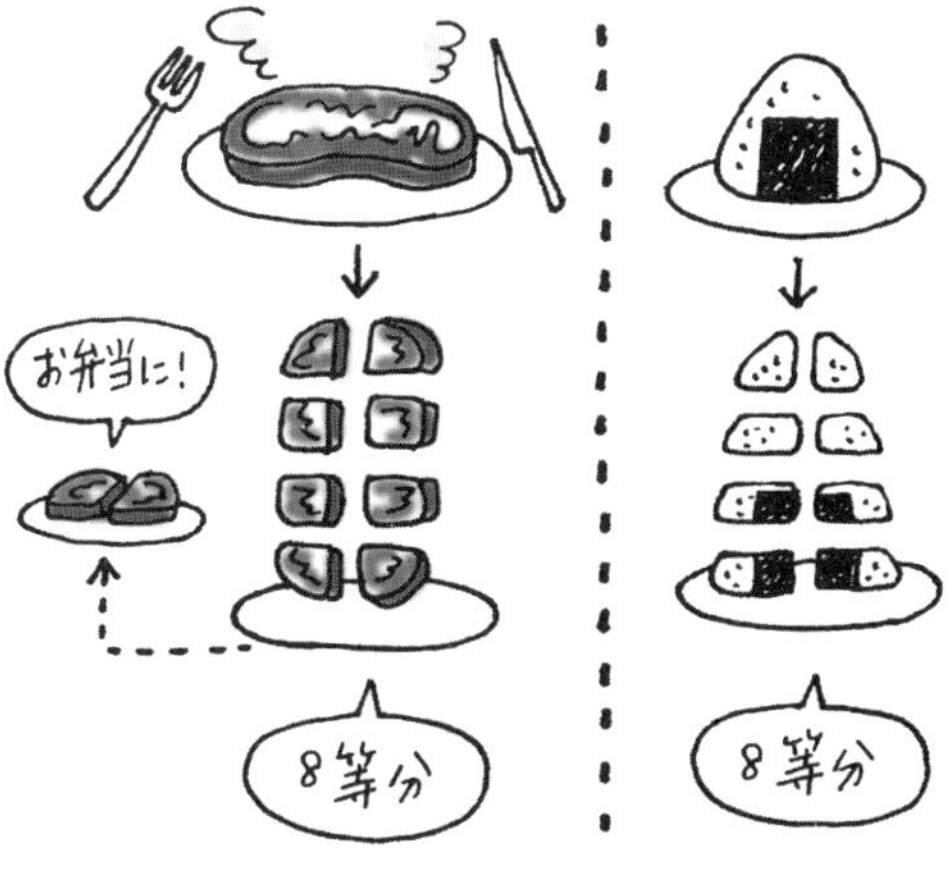

12

食後すぐに食器洗い&片づけを行って、残り物に手がのびる〝残飯整理〟を断ち切ろう！

食べ終わったのに食器をテーブルに残しておくと、残り物をだらだら食べてしまいがちです。潔くすぐに食器洗い&片づけを行い、メリハリをつけましょう。

13

好きな食べ物&飲み物は、「特別な日」のスペシャルメニューにして満足感アップ！

好きな食べ物や飲み物も、毎日だと飽きてしまいます。週末や、「特別な日」のご褒美にしてみませんか。楽しみを長く取っておけるし、貴重な一食として、よりおいしくいただけるはずです。

14

冷たい飲み物は味覚を狂わせ、飲み過ぎを招く！温かくして味わいながら飲む習慣を身につけよう

冷たい缶コーヒーには角砂糖が約８個も入っています。ホットコーヒーにそんなにたくさん入れて飲めないですよね。冷たさは味覚を狂わせるので、飲み過ぎにはご用心。ビールも冷たい爽快感が気持ちよく、つい飲み過ぎてしまうのです。

15

お酒は一口ずつ、舌で味わって楽しむ飲み方を。グビグビ飲むのはカロリーオーバーの元凶に！

アルコールは高カロリーのうえ、グビグビ飲むとおつまみも食べ過ぎてしまいます。１杯１万円もする高級酒だと思って、ゆっくり味わって飲むのが賢い大人です。のど越しをおいしく感じるのは１杯目だけ、２杯目からは味わって飲みましょう。

16

お菓子は食品保存用の袋に小分けにする。炭酸飲料もキャップで気の抜けをガード

お菓子の袋を開けたら全部食べきってしまうのは、「湿気てもったいない」言い訳の心理が働くから。先に食品保存用袋に小分けにして、食べ過ぎを防ぎましょう。一袋分を食べ、物足りなければもう一袋食べる。そのうちに血糖値が上がって満足し、食べ過ぎを防げます。炭酸飲料も炭酸抜け防止のキャップを使い、飲み過ぎを防止！

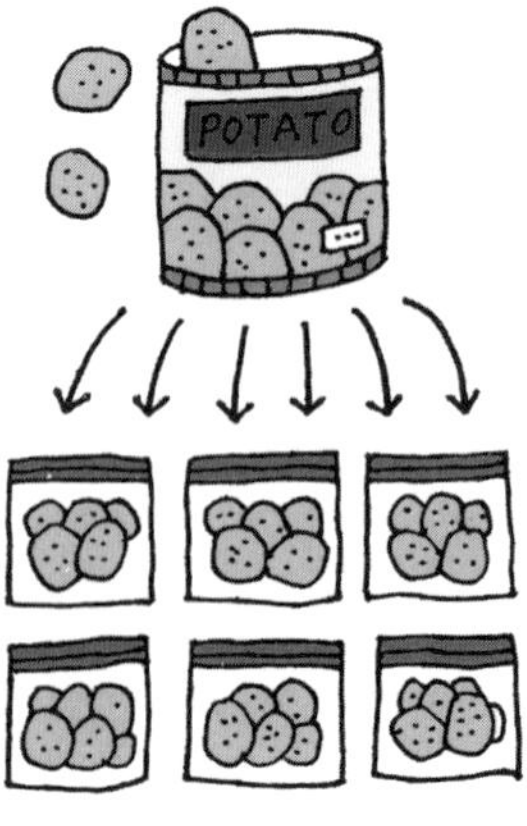

17

鍋パーティーでは鍋奉行、飲み会では幹事役を。食べ過ぎ＆飲み過ぎを防げて周囲からの評価もアップ！

鍋パーティーでは、食べる側ではなく鍋奉行に徹します。飲み会は幹事を引き受け、オーダーを積極的に取ってあげましょう。飲食する暇をなくし、物理的に食べ過ぎを抑えるという力技ですが、チョコマカ動く消費カロリーもばかになりません。大変と思うかもしれませんが、お腹はへこみ、周囲から感謝されるので、一石二鳥です！

Dr.川村式腹やせメソッド

買い物＆調理編

食べ過ぎは、買い物や調理の時点で始まっているものです。スーパーやコンビニで、余計な物を買い込んでいませんか？調理の際に、調味料を使い過ぎて濃い味付けになっていませんか？ここで紹介する買い物＆調理のテクニックは、無意識の食べ過ぎを防ぎ、料理をよりおいしく味わうための方法。しかもお金の節約にもつながるオマケつきです！

01 麺類は最初に短くカットしてからゆでる！乾麺のパスタは半分に折ってからゆでよう

ツルツルッと食べられる麺類は、つい〝早食い〟になりがちです。調理の段階で、生の麺類はハサミで短くカットし、乾麺なら半分（２つ）または４つに折ってからゆでましょう。「ツルツルッ」が、「ツル」で終わり、食べても食べても「まだある」という満足感が生まれます。食事にとても時間がかかるので、食べ過ぎも防げます。

02

食材は細かく切ってから調理するのが基本。味がしっかりしみて、パパッと手早く作れます！

食材は、細かく切ってから調理しましょう。麺類の調理術と同じセオリーで、食べ過ぎを防げます。細かく切ったほうが味がしみやすいので減塩に。火を通す時間も短くなるので調理時間の短縮&光熱費の節約にもなります。

03

調味料やドレッシングには頼らずに、素材の味を生かして調理しよう！

調味料やドレッシングをたくさんかけておいしいと感じるのは、「暗いバーで女性が美しく見える現象」に似ています。素材の味を生かす調理を心掛けましょう。余分なカロリーをカットでき、塩分や糖質も控えられます。

04

会社の帰宅途中に夕食の買い物はしない！家に帰ってから腹凹歩きでスーパーへ

夕食の買い物は一旦家に帰ってから。このひと手間が運動量＆消費エネルギーのアップにつながります。もちろん、買い物時には、腹凹歩きでお店へＧｏ！

05

つい、無駄な物を買い過ぎてしまう…。タイムセール、および空腹時のドカ買いは厳禁！

スーパーの閉店間際に行われるタイムセール、また空腹時の買い物は、「あれもこれも食べたい！」と買い過ぎるので注意を。買い過ぎは、必ず食べ過ぎを招きます。

06

買い物に行く際は最低限のお金だけ持って。余分な食材を買わないようにしよう

必要最低額のお金だけを財布に入れて、お店に行きましょう。お金が足りなければ、そもそも食材をたくさん買おうという気にもなりませんし、買えません。

07

家から一番近いお店での買い物は控える。隣町の商店街まで腹凹歩きで足をのばしてみよう!

家から一番近いお店でばかり買い物をせず、ときには隣町の商店街まで足をのばしましょう。安くておいしいお店や素敵な店員さんなど、意外な発見があるはずです。もちろん、腹凹歩きを忘れずに!

08

スーパーでは重い食材から買い始めよう。買い物カゴをダンベル代わりにして筋力アップ！

スーパーやコンビニでは重い食材から買い始めましょう。買い物カゴが重いため買い過ぎ防止になり、筋トレにもなるので一石二鳥！　買い物と筋トレが同時にできると考えれば、モチベーションも上がるのでは!?　この発想の転換が大切です。

09

スーパーでは、カートを使わないことをルールづけよう。買い過ぎを防げて、運動量もアップする

スーパーではカートを使わないようにすると、荷物を持ち切れなくなるから、物理的に買い過ぎを防げます。食品をついつい放り込んでしまうカートは、ダイエットの大敵といえます。

10 なるべく高級な食材を選ぶことで、料理をじっくり味わって食べる習慣が自然と身につく

「一切れ1万円！」。高級な食材だと、「味わって食べないと損」という思考に切り替わるので、自然にゆっくりと味わって食べるようになります。高級レストランのようにムードある音楽を流しながら食べれば、気持ちも満たされるでしょう。

11 「この店ではコレ」「あの店ではアレ」と、食材によって買い物する店を変えてみよう

スーパーでまとめ買いするのは確かに楽ですが、ときには肉や魚、野菜、果物を専門店で買ってみましょう。安いお店やおいしいお店を探して歩き回るのは楽しく、歩数も自然と増えていきます。

12

レジに並ぶ前に、必ず1つ食材を戻そう。無駄な買い物が減り、戻しに行く手間は運動に

カゴに入れた食品の中には、「今すぐはいらないもの」があるはず。会計前に必ず1つ、棚に戻しましょう。戻しにいく手間は運動になり、戻した商品分のお金は貯金箱に。体にもおサイフにもお得です。

13

店には小さなマイバッグを持参して、「バッグに入る分しか買わない」と決めよう

小さなマイバッグを持参すれば、買い過ぎを防げます。また、店によっては数円値引きしてくれます。体にも地球にも家計にもやさしいエコショッピングです。

体験談コラム3

食べ方をスローにして15kg減。脂肪肝も改善！

神奈川県在住　川村徳彦さん（50歳）　眞弓さん（50歳）

約10か月で体重が１０１kgから86kgになり、15kgも減りました。１０４cmあったウエストも、96cmになり８cmのサイズダウン。自分でもびっくりするくらいのダイエット効果を実感しています。

実践したことといえば、川村先生の指導に従い、食事の食べ方を変えたことです。といっても朝食と昼食は今までどおり食べ、夕食だけゆっくり時間をかけて食べるように心がけました。

私がとった方法は、新聞を読むこと。記事を読んでいる最中はお箸を置いて、区切りがついたらまた一口食べるといったペースで食事をとるのです。おもしろい記事があると、食べることを忘れて、集中してしまうことさえありました。結果的に、夕食時間に30分以上かけていたと思います。

また、一口の量を少なくすると、噛む回数が増えて、早食い防止になることもアドバイスされていたので、それも実践しました。すると、もともとかなり体重が重かったこともありますが、みるみるやせました。実践した10か月の間には、２〜３kg程度の体重のぶり返しもありましたが、今は86〜87kgをキープできています（身長１８０㎝）。

また、やせた副次的な効果として、脂肪肝が改善しました。γ《ガンマ》-ＧＴＰの値が１００以上あったのに、42まで落ち着くようになったのです。今は何より体がとても軽く感じられて、とても楽に動けます。お腹に抱えていた重たい俵を、下ろしたような気分です。

体験談コラム3

妻も川村先生の指導にならって一口の量を少なくし、ゆっくり食べるようにしてから、56㎏あった体重が52㎏に減りました。ウエストも3㎝程度ダウンして64㎝に。家では姪のローライズデニムがはけるようになったと言って喜んでいました（笑）。

今ではダイエットのために「ゆっくり食べなきゃいけない」という意識はなく、夫婦ともどもスローな食べ方が身について、すっかり習慣になっています。川村式腹やせメソッドのおかげで、身も心も軽くなりました。これからも無理せずマイペースで続けていこうと思います。

10か月間における体重と腹囲の変化

川村徳彦さん（身長180cm）

	実施前➡	実施後	
体重(kg)	101.0	86.0	−15kg
腹囲(cm)	104.0	96.0	−8cm

眞弓さん（身長156cm）

	実施前➡	実施後	
体重(kg)	56.0	52.0	−4kg
腹囲(cm)	67.0	64.0	−3cm

第6章

こんなときは
どうすればいいの?
Dr.川村式
腹やせ
メソッドの
ギモン解消
Q&A

Q 腹凹歩きを始めて、どれくらいで効果が実感できるの？

A 早ければ、1週間弱で効果が実感できるはず！効果がなかなか出ない場合は食生活を見直そう！

腹凹歩きの効果が出ない場合、実施している時間が極端に短い、あるいはお腹を動かすときに反動を使い過ぎている、などの原因が考えられます。

また、食生活が乱れていないかも見直してみましょう。サプリメントや野菜などの「体によいもの」は、摂取カロリー量を計算に入れずにとり過ぎている人が少なくありません。もちろんそれらにもカロリーはありますので、とり過ぎれば太ります。

日常生活の歩行動作に、なるべく多く腹凹歩きを取り入れ、また本書のとおりに食事の食べ方を見直せば、早ければ1週間弱で効果が実感できるはずです。

Q 腹凹歩きをするベストタイミングは？

A 脂肪を燃焼させたいなら空腹時がベスト。ただし、糖代謝が正常に行われない人は、食後がおすすめ

腹凹歩きは、あえて時間を割いて歩くのではなく、通勤や買い物など、日常の中で気軽に行えるのが最大の強みです。ただし、糖尿病や、その疑いがある人は、食後に血糖値が急激に上昇してしまうので、血糖値を安定させるために食後（食べ始めてから1～2時間後）に行うとよいでしょう。

蓄積されている脂肪を燃焼させたい人は、空腹時に行うと効果的です。ただし、空腹感が強くなるとつい早食いしてしまう人は、食前の運動は不向きといえます。運動でさらに空腹感が強まり、食べ過ぎてしまいやすいので注意しましょう。

Q 腹凹歩きで呼吸がうまくできず、息苦しくなってしまう…。

A お腹をへこませるときの、呼吸のタイプを確認。足踏みで練習するとマスターしやすい

「2歩周期の腹凹歩き」（P84参照）のやり方で、その場で足踏みをしてみましょう。右足を上げるときにお腹をへこませ、左足を上げるときにお腹を出します。右足、左足と足踏みしたときとお腹の動きが連動するまで練習しましょう。できるようになったら、実際に歩いてみて、足の動きとお腹の動きがうまくいくかどうかを確認します。ただし、このペースで息苦しくなる人は、次の方法を試してください。

歩く際の足の動きに合わせてお腹を出し入れするのではなく、〝呼吸〟に合わせてお腹を出し入れする方法です。例えば、息を吸うときにお腹をへこませ、息を吐

くときにお腹を出してみる（お腹の出し入れは逆でもOK）。自分のやりやすい呼吸の仕方で構いません。いつもの自分の呼吸の速さに合わせてお腹を出し入れするのです。

呼吸とお腹の動きが連動するようになったら、改めて足踏みの動作を加えます。リズミカルにできるようになったら、実際に歩いて確認してみましょう。

腹凹歩きは、お腹を出し入れしながら歩くだけという簡単さが魅力です。複雑なことを頑張ってやろうとしても継続できません。難しく考え過ぎずに、気軽に行ってください。

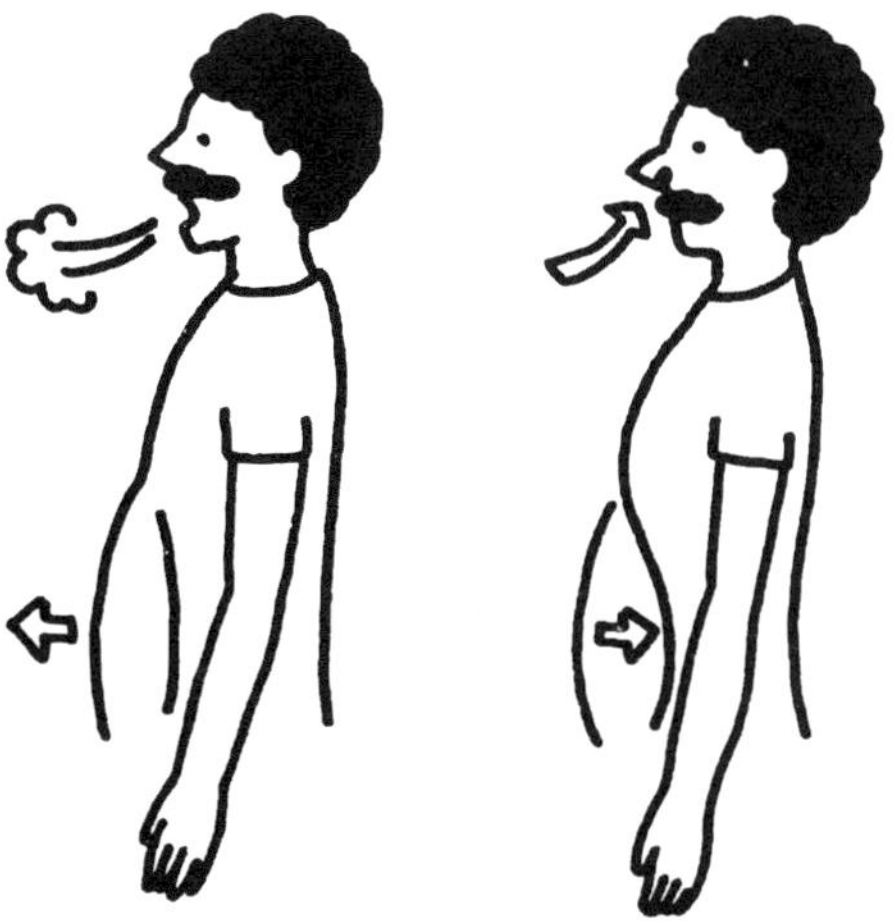

呼吸とお腹の出し入れの連動は自由です。「息を吸うときにお腹をへこませて、吐くときに出す」、または、「息を吸うときにお腹を出して、吐くときにへこませる」。どちらのパターンでもOKです！ 自分のやりやすい方法で行ってみましょう。

Q 腹凹歩きをすれば、お腹はカッコよく割れる？

A 通常の腹凹歩きでは、割れるまではいかない。より負荷を高めた「6歩周期」の歩き方がおすすめ！

通常の腹凹歩きだけでは、腹筋はカッコよく割れません。腹筋を割るためには、腹筋により強い負荷を、継続的にかける必要があります。また、お腹の脂肪が減り、薄くならないと、いくら腹筋を鍛えても割れ目は表面に現れません。

仰向けになって上体を起こしたり伏せたりする腹筋運動でも、腹筋を割るためには、1日数十回以上行わないと、困難といわれています。

腹凹歩きの場合は、「6歩周期」（P95参照）の歩き方で、腹筋に継続的に負荷をかけることをおすすめします。

Q 腹凹歩きをやってはいけないケースはあるの？

A 腹部に怪我や病気のある人は控えて。痛み、違和感がない場合は、ゆっくり行えばOK！

腹凹歩きの際に動くのは、皮下脂肪、皮膚、腹腔内《ふくくうない》の臓器です。これらに炎症や障害がある人は、腹凹歩きを控えるか、極力ゆっくり行いましょう。

具体的には、アトピー性皮膚炎などでお腹の皮膚に炎症がある人、胃潰瘍や十二指腸潰瘍で痛み、出血の危険がある人。また、肝臓や膵臓の炎症がある人、尿管結石や腎結石、胆石で痛みのある人、潰瘍性大腸炎やクローン病で痛み、出血がある人。その他、尿管や胆管などにステントという人工的な管を入れている人、ワーファリンやバイアスピリンなど、血が止まりにくくなる薬を飲んでいる人が該当します。

Q エア・トレーニング、やり過ぎはよくない？

A 想像以上に負荷がかかるのがエアトレ。全力の半分の力加減で、まずは5～10回からトライ！

エアトレを実際に行ってみると、想像以上に筋肉に負荷がかかるのを実感できると思います。最初から無理をせず、まずは全力の半分程度の力加減で行いましょう。エア・トレーニングでは、筋肉を収縮させる主働筋だけでなく、拮抗筋も使うので、体にかかる負担は通常の筋トレに比べて2倍ほど高くなります。

また、体に負担をかけ過ぎないように、通常行う動作の2倍の時間をかけて、ゆっくりと行いましょう。回数は5～10回から始め、慣れてきたら徐々に増やしていきましょう。翌日、心地よい筋肉痛が出るくらいの負荷が目安といえます。

Q エア・トレーニングを行う際の注意点は？

A 息を止めたまま力を入れて行うのはNG！ 血圧が急激に上昇して、体に負担がかかってしまう

息を止めたまま力を入れてしまわないように注意しましょう。息をこらえると、血圧が上昇して体に無理を強いてしまいます。

また、お腹の出し入れを最初から目いっぱい、力を入れて行うことも避けてください。先にも述べましたが、エア・トレーニングでは、主働筋と拮抗筋の両方が鍛えられます（P102参照）。つまりひとつの動作に対して、通常の2倍の負荷がかかる計算です。なので、普段の半分程度の力の入れ加減からやり始めて、徐々に強度を上げていくようにしてください。

Q

スッキリへこんだお腹を維持し、リバウンドしないコツは？

A

腹凹歩きと、じっくり味わう食べ方を習慣化すれば、リバウンドは起きない！

腹凹歩きを習慣づけることが最も大切です。そのためには、〝やっている自分〟と〝やっていない自分〟を比較し、「やっていない自分が、ものすごく損をしている！」という意識を絶えず持つことです。

また、食生活ではじっくり味わって食べることが重要。早食いやドカ食いなどの悪癖は「もったいない行為だ」という価値観を自分の中に定着させましょう。

この2点について、日々の生活で習慣づけることができれば、リバウンドすることはありません。

Q 生活がどうしても不規則になりがち。どうしたらいい？

A いつでもできる腹凹歩きは、不規則な生活にも対応。テレビやインターネットは、情報を得たら電源オフ！

どんなに忙しい人でも、毎日歩き、トイレに行くはず。つまり、腹凹歩きやエアトレを行う機会が必ずあるのです。意識して習慣づけることさえできれば、不規則な生活の中でも無理せず腹やせメソッドを実践できます。習慣化するまでは、手帳などに腹凹歩きを行えたかどうかを記録してみるのも有効です。

また、生活が不規則になる原因を見つめ直すことも大切。深夜までテレビやインターネットをダラダラと見続けていませんか？ 必要な情報を得たら電源を落としましょう。自分の日常生活のＮＧな点に気づくことが、生活習慣改善の近道です。

Q お腹の脂肪は、なぜつきやすくて、落ちにくいの？

A お腹（腹筋）は日常生活で使われにくい部位なので、優先的に脂肪が蓄えられやすく、肥大しやすい

日常生活では、腹筋に意識して力を入れる動作がほとんどありません。使われない部屋には物が置かれて、物があふれてしまうように、使われない部位には脂肪がついて、肥大しやすいのです。使わない筋肉は衰え、基礎代謝も低下し、消費するエネルギーも減少します。

また、加齢とともに腹直筋の筋肉量が減少し、筋力も弱まります。その結果、腹《ふく》腔内《くうない》の臓器がお腹の下のほうに集まって、支え切れなくなり、下腹部がポッコリする状態になるのです。

Q 短期間で腹やせ効果を出すコツは？

A 早くやせたいからといって、極端に食事量を減らすのは逆効果。“ゆっくり食べ&強度が弱い運動の継続”が、いちばんの近道！

ダイエットで最もよくないのは、食べる量を極端に減らすこと。一時的に体重は減りますが、減少分は筋肉が主なのでリバウンドを招きます。空腹感がおさまるには、食べ始めてから15～30分かかるもの。その前に食べ終わらないようにすれば、理想的な食事量に落ち着きます。運動に関しては、強度の弱い有酸素運動を行うと、エネルギー源として脂肪が使われる割合が高いので効果的です。疲労感が出ない程度の運動を、日常動作の中にうまく組み込んでください。本編で取り上げている腹凹歩きやエアトレを実践すると、1週間でもかなりの効果が期待できるでしょう。

Q ポッコリお腹のタイプによって、ダイエットのやり方は異なるもの？

A 太り方は自身の生活習慣を映し出す鏡。食習慣&運動習慣を見直して、改善点を見つけよう！

●「お腹全体が出ている太鼓腹」タイプ

最大の原因として、「食べ過ぎ」が疑われます。第5章を読みながら、今の自分の食生活を見直してみましょう。

気づかぬうちに早食いしていないか、ドカ食いしていないか、テレビを見ながら食べていないかなど、ご自身の食べ癖を分析してみてください。食習慣を見直すことで、ダイエットの道が開けます。

●「比較的やせているのに下腹だけポッコリ」タイプ

腹直筋の筋力低下により、下腹部に内臓が集まりやすく、脂肪もたまりやすい状態になっていると考えられます。日常生活で下腹部に力を入れることを習慣づけ、腹直筋の筋力アップにつとめましょう。

腹凹歩きで歩くときも下腹部を意識して出し入れしたり、腹凹エアトレでも下腹部に手を当てたりしながら行うことをおすすめします。

●「脇腹ポヨポヨ」タイプ

ベルトをきつく締め、その上に脂肪がのっていて、脇腹がポヨポヨ状態になっているのだと思われます。ベルトでお腹を締めつけるのではなく、普段から腹筋に力を入れ、腹筋でお腹を引き締めてください。ベルトに頼るのではなく、自前の腹筋に頼る意識が大切です。

Q 中高年がダイエットで失敗&挫折しがちなケースとは?

A 体を酷使する激しい運動は、継続するのが難しい。無理な食事制限こそ、ダイエットが成功しない元凶!

運動不足の中高年が一念発起して運動を行うと、頑張り過ぎて筋肉や腱、骨に過度な負担をかけてしまい、その部位を損傷し、継続できなくなるケースが少なくありません。現在の自分の体に適した運動を心がけましょう。この本でおすすめしている腹凹歩きは、怪我の心配がなく、安心して取り組める運動です。

また、ダイエットのために食事量を極端に減らす人がいますが、そのような我慢が続かないから、お腹ポッコリの中年太り状態に陥っているのが現実。運動も食事制限も極端に頑張り過ぎないことが、中高年世代のダイエット成功の秘訣です。

Q　血圧の高い人が、運動と食事の際に気をつけることは？

A　軽めの運動なら血圧を上げず、ダイエットにも効果的。食事は、じっくり味わう食べ方で塩分を控える！

激しい運動は、血圧を上昇させる危険があります。息をこらえたり、強く吐いたりすると、血圧が上がりやすくなるので注意しましょう。血圧が高めの人は、軽めの運動がおすすめ。脂肪消費の割合が高いという点でも、ダイエットに効果的です。

食事については、塩分を控えることが大切です。特に早食いは塩分過多になってしまいがち。なぜなら、舌で味わう時間が短いために、より濃い味つけを求めるようになるからです。小さく切って、高価な食材をいただくつもりで、素材の味を楽しむ食べ方を心がけるようにしましょう。

Q 禁煙したいけどやめられない！ダイエットとタバコの関係は？

A 我慢するとつらいのはダイエットもタバコも同じ。大事に吸うことで、自然に本数が減っていく

タバコを止めると、体にかかっていた負担がなくなるだけでなく、胃の調子が良くなる、食欲が出てくる、食べ物がおいしくなるなどの作用をもたらし、結果、ほとんどの人の体重が増加します。しかし、タバコの影響で、味覚が悪くなり、濃い味のものや刺激物を好むようになると、早食いと相まって、太ってしまう人もいるのです。禁煙できない人は、我慢するという考え方を変え、「タバコ1本が1万円」と意識して、もっと大事に吸うことで自然と本数も減っていくでしょう。

Q

ダイエットのための生活サイクルは、やはり朝型がいいの？

A

夜遅くまで起きていると、食欲がわいてしまう。睡眠時間が短いと、肥満になる確率が高くなる！

夜遅くまで起きていると、眠気との戦いになります。その際に活性化されるオレキシン作動性神経という神経は、覚醒レベルを上げるとともに食欲も高めます。また、睡眠時間が少ないと、食欲を抑えるホルモンであるレプチンが減少し、食欲を高めるグレリンが増加するという実験結果も。実際に睡眠時間が4時間以下の人は、7〜9時間睡眠をとっている人に比べ、肥満になる可能性が1・73倍も高まるというデータもあります。低血圧で朝が苦手な人には、「寝たままできる腹凹エアトレ」（P113参照）がおすすめ。血圧の適度な上昇を促し、目覚めがよくなります。

Q

炭水化物を控える糖質オフダイエットの効果と注意点は？

A

空腹感のストレスがない理想的なダイエット方法だが、脂質とタンパク質の過剰摂取になると危険！

血糖値が上昇するまでは空腹感があります。しかし、糖分や炭水化物をとる量が減れば、血糖値の変動が少なくなり、その結果、空腹感と戦う必要がなくなります。一見、理想的なダイエット方法なのですが、瞬発力や持久力が低下してきます。その他、運動するのに必要なカロリーを炭水化物ではなく脂肪とタンパク質で補うため、脂質代謝に異常がある人は、それが悪化し、血液がドロドロになって心筋梗塞や脳梗塞の危険度が高まります。また、タンパク質の摂取量が増加すれば、肝臓や腎臓に負担がかかるため、肝臓や腎臓の病気がある方にはおすすめできません。

Q　自分に合うダイエット、合わないダイエットを見極めるコツは？

A　太った原因を分析し、太る行動を見直すのが最も効果的。運動と食事の改善に取り組み、相乗効果を狙ってみよう！

日々の生活の中に必ず太った原因があります。それを分析し、太る行動を見直せるようなダイエット方法を実践するのが最も効果的です。

例えば運動不足で太った人は、日常の生活に無理なく取り入れられる腹凹歩きが運動不足解消の一助となるはず。食べる量が多い人は、食べ方や食べ物に対する価値観を変えることが最重要です。

また、挫折しやすい人は、ひとつのダイエット法だけを行うよりも、いろいろ併用し、相乗効果を狙ってみると、飽きずに継続できます。

Dr.川村式 腹やせメソッドの実践メニュー例

腹やせメソッドの基本は努力＆我慢をしないこと。本書で紹介したメニューも自分のペースでできることから始めてみましょう。日常生活の中で、「腹凹歩き」や「エア・トレーニング」、「脳をダマす食べ方」を実践して習慣化すれば、お腹はスッキリへこみます！

本書で紹介した腹凹歩きメニュー

- □ 1歩周期の腹凹歩き（P82）
- □ 2歩周期の腹凹歩き（P84）
- □ 4歩周期の腹凹歩き（P85）
- □ 足上げ歩き（P86）
- □ 狂言歩き（P88）
- □ 腹凹スイング歩き（P89）
- □ 氷上歩き（P90）
- □ 砂浜歩き（P91）

本書で紹介したエア・トレーニング

- □ トイレでできる腹凹エアトレ（P106）
- □ 入浴中にできる腹凹エアトレ（P108）
- □ 座り走り腹凹エアトレ（P110）
- □ 立ったままできる腹凹エアトレ（P111）
- □ テレビを見ながらできる腹凹エアトレ（P112）
- □ 寝たままできる腹凹エアトレ（P113）

日常生活での実践メニュー例

朝

起床

朝食

通勤
駅まで腹凹歩き（P82）
通勤電車ではエア・トレーニング（P111）

昼

昼食
仕事の合間や休憩タイムに腹凹歩きやエア・トレーニングを行って効率よく腹やせしましょう!

退社
家まで腹凹歩き

夕食

入浴
湯船に浸かりながら腹凹エアトレ（P108）

夜

就寝

※食事は第5章で紹介したテクニックの中からできるものを選び、実践しましょう。

あとがき

「これ以上歩けって言われても、できない」。これは初めて出した本『医師がすすめる50歳からの肉体改造』を読まれた、ある方の感想です。その本の中には、「余分に歩きましょう」とは書いていません。「日々の歩き方を変えましょう」ということを書きました。直接会ってお話ししていれば、勘違いされていることをすぐに訂正できるのですが、一方的な情報提供である書籍で、言いたいことを正確に伝えることがいかに難しいかを改めて実感しました。

2冊目、3冊目の本では写真をできるだけ使い、いろいろな動作をわかりやすく提示しようと試みました。それでも困難に感じられる人もいらっしゃって、どうすれば努力や我慢をしないで効果的に体型を改善できるか、腹凹歩きを日常生活の中で気軽に実践してもらえるかを考えているうちに、「ズボラな私でもできた」という観点から腹やせメソッドを見直して、伝えようと試みたのが本書です。

私は、未病システム学会やアンチエイジング学会にも所属し、人間ドックにも20年近く携わり、病気がないけれど異常を抱えている（未病）人に対して、生活指導を続けてきました。また、生命保険会社のメディカルディレクターを担当して20年になろうとしていますが、生命保険の業務は一般的な医療とは異なり、健康体の人が将来病気になる危険度を推察することが仕事の大きな部分をしめます。そこで得た知識を生かし、健康を長く維持できる方法を自分自身が試してみて、効果があると思うことをまとめました。小学生の頃は毎年喘息発作に苦しんでいた私ですが、今はその頃よりも健康的で、肉体的にも理想に近い状態です。運動嫌いでズボラな私が50代にして理想的な肉体を実現させたのです。ぜひ皆さんも実践してみてください。

川村内科診療所所長　川村昌嗣

[著者]
川村昌嗣（かわむら まさひで）
1960年高知県生まれ。川村内科診療所所長。慶應義塾大学医学部卒業後、慶應大学医学部の内科に入局し、その後けいゆう病院健診科副部長を経て現在に至る。40代前半の頃に、体重が自身最大の76kgを記録し、典型的な“お腹ポッコリ状態”に。面倒くさがりの自分でも続けられる、“無理しない”“我慢しない”「腹やせメソッド」を考案し、日々の診療にも役立てている。著書に『医師がすすめる50歳からの肉体改造』（幻冬舎ルネッサンス新書）、『Dr.川村の腹凹ウォーキングダイエット』（日本文芸社）など。

STAFF
デザイン 金井久幸（TwoThree）
制作協力 吉田正広
イラスト 加納徳博
タナカユリ
撮　影 蔦野 裕
校　正 くすのき舎
編集協力 荒牧秀行（ケイ・ライターズクラブ）
平山陽介（ケイ・ライターズクラブ）

内科医が教える お腹がどんどん痩せていく
腹凹《ペコ》歩きダイエット

著　者 川村昌嗣
発行者 永岡修一
発行所 株式会社永岡書店
〒176-8518　東京都練馬区豊玉上1-7-14
03(3992)5155［代表］
03(3992)7191［編集］
DTP 編集室クルー
印　刷 アート印刷社
製　本 ヤマナカ製本

ISBN978-4-522-43180-1　C2047　①